东京一年

ONE YEAR IN TOKYO

蒋 方 舟 ·········· 著

[日] 伊 藤 王 树 ······· 摄

中信出版集团·北京

图书在版编目（CIP）数据

东京一年 / 蒋方舟著；（日）伊藤王树摄影 . -- 北
京：中信出版社，2017.8
ISBN 978-7-5086-7761-3

Ⅰ . ①东… Ⅱ . ①蒋… ②伊… Ⅲ . ①日记－作品集
－日本－现代 Ⅳ . ① I313.65

中国版本图书馆 CIP 数据核字（2017）第 142104 号

东京一年

著　　者：蒋方舟
摄　　影：[日] 伊藤王树
出版发行：中信出版集团股份有限公司
　　　　　（北京市朝阳区惠新东街甲 4 号富盛大厦 2 座　邮编　100029）
承 印 者：鸿博昊天科技有限公司

开　　本：787mm×1092mm　1/32　　印　张：7　　插　页：48　　字　　数：119 千字
版　　次：2017 年 8 月第 1 版　　印　次：2017 年 8 月第 1 次印刷
广告经营许可证：京朝工商广字第 8087 号
书　　号：ISBN 978-7-5086-7761-3
定　　价：68.00 元

版权所有 · 侵权必究
如有印刷、装订问题，本公司负责调换。
服务热线：400-600-8099
投稿邮箱：author@citicpub.com

蒋方舟

1989 年出生于湖北襄阳。7 岁开始写作，9 岁写成散文集《打开天窗》。2008 年被清华大学破格录取，次年在《人民文学》发表了《审判童年》，"将戏谑的口吻与犀利的质问、游戏的精神与坦诚的剖析熔于一炉"，获得第一届朱自清散文奖。2012 年大学毕业后任《新周刊》副主编。代表作：杂文集《正在发育》《邪童正史》《我承认我不曾历经沧桑》、小说集《故事的结局早已写在开头》等。蒋方舟的写作展示了对自身和"被时代绑架的一代年轻人"的关切。

伊藤王树

1978 年出生于日本，纪录片导演，作品曾获艾美奖提名。执导的《15 岁离开家乡的歌》（冲绳少女离开故乡的故事）等纪录片陆续在日本上映。

序

1786 年 9 月 3 日凌晨三时，37 岁的歌德提起行囊，独自一人钻进一辆邮车，逃往了意大利。

那时候的歌德在魏玛已经生活了十几年，身居要职。他出逃并非是因为走投无路，而是他发现自己的人生不知不觉被套上了一个齿轮：白天忙于政务，业余创作一些爱情诗，生活把创作热情压榨得干瘪枯竭。

他有朴素的直觉：这样下去不行，因此抛弃了一切，逃到了他心目中的乌托邦——意大利。他在那里生活了一年零九个月，足迹遍及整个意大利，从城市到农村，喜悦地目睹并且描述着岩石的硬度和空气的弹性。

歌德在意大利完成了《在陶里斯的伊菲格尼亚》，写了《塔索》《浮士德》的部分。意大利拯救了他，把他从成为一个附庸风雅的公务员的命运齿轮上解救了下来。

2016 年，我独自一人在东京生活了一年，东京也拯救了我。

有生以来第一次，我度过了一段完全真空的生活，没有目标与意义，每天一睁眼就是一大片需要填充的空白。任何一件事都需要把时间拉得很长远，把浓度稀释，才能填充过完一天，所以我必须认真凝视美术馆里每一幅画，认真咀嚼每一口食物，认真地把每一个念想变得绵长。

认真也是孤独的结果。我几乎不会日语，大多数时候面对别人都只能微笑点头，无法建立任何情感联系，更无法在人际交往里投入什么热情。说实话，即便会日语也无助于我缓解孤独。东京是一个人情冷漠的城市，用获得芥川奖的作家、搞笑艺人又吉直树在《火花》里形容的：

"东京这个地方，聚集着从各个地方而来的人们。从前在乡下时，从漫画和电视剧里看见的东京，虽然灯火繁华，但人总是很冷漠。上京后我才明白了，那并不是冷漠，而是因为身为外来者的大家都心情紧张。外来者进入东京这个城市，一个个都表现出不要被吃掉的紧张状态，终于成了一个集合体。"

我在东京的生活仿佛在一种看不见的屏障中，无论是走在拥挤的表参道或涩谷，还是被裹挟在人群中去看花火大会，我始终感到人群是幻觉，我在与自己单独交谈。

被迫的认真与被迫的隔离，把我从之前一直在被动加速的跑步机上的生活中解救了下来，重新获得了观察和思考的能力。

这几年我很反感的一句话是：生活不只有眼前的苟且，还有诗和远方。

"眼前苟且"与"诗和远方"是一对虚假的对立。我在东京一年的生活表面看是"诗和远方"，生活在迷人的异域，鸡毛蒜皮消失了，可东京的生活同样存在着无奈的人性、琐碎的沟通、窘迫的算计与虚伪的寒暄。另外，网络的发达让"远方"的概念消失了，我身在异国，却时刻关注着国内的人与事，为我触手而不可及的苦难感到悲伤。正是这些并不美好的细节，才构成了生活的全部。

这或许就是为什么我爱读作家的日记和信件——不仅仅是出于某种窥私癖，更是因为那仿佛是一种反向的摄影。作品是艺术家生命的结晶和照片，我通过日记和信件，把那凝固一瞬的风景在时空上进行扩展，看到了他们完整的艺术生活。

所以我也保留了自己日记里那些絮叨的呓语和局促的社交，全部摊开来，有种"全暴露了"的快感。

1786 年 11 月 4 日，歌德在罗马给自己的母亲写了一封信，信中说："我将变成一个新人回来。"

重获新生的歌德其实并没有变成一个新人，就像在东京度过的一年并没有把我变成一个新人，我们只是更像自己本来该成为的样子。

2015.12.16 (星期三)

今天中午跟日本国际交流基金会的工作人员见了面，送给他们我妈自己画的年画。图案是六子争头，三颗儿童的头，嫁接在六个胖大肥白成人化的身体上。他们大概觉得非常怪异，草率地赞叹了两声就匆匆卷起。

下午，我访问大学的教授介绍了东京大学的一个留学生给我认识，是一个上海女生，在日本已经待了四年，打扮做派已经很像日本女孩，很白，吃惊的时候嘴巴张得很圆。

晚上我请她去了一家评价很高的烤肉店，一份自助套餐13500日元，相当于700多人民币。90分钟内无限量地点海鲜和很好的牛肉。

"真是太贵的料理了。"她不停地感慨。

吃饭的时候聊天才知道她和我同龄,是嫁到日本的,她与丈夫是高中同学,一毕业就结了婚。她的婆婆嫁给了日本人,她的丈夫就也来日本生活。后来,她忍受不了丈夫每天打游戏打到早上四五点钟,自己在日本也没有朋友。婆婆让她做很多家务,以一个日本主妇的标准来要求她,她却想要上进,读了东大的研究生,拍纪录片,喜欢结交知识分子和独立纪录片导演。

"今天下午刚刚谈完离婚。"她说。还好,并没有立刻流出眼泪。

我恬不知耻地给出很多幼稚的建议,狂想如何嫁给有钱人,如同最幼稚的初中女生,庸俗得连自己都觉得面目可憎。

对于他人生命里悲惨的变故,我又爱听又怕听:爱听当然是出于劣根性,人们喜欢听那种把种种复杂的悲剧总结成三言两语的故事,听者像占了便宜;怕听是因为我总以为自己有劝解的义务——至少在口头上"解决"这件事,就像小学写作文时结尾一定要写"今天真是有意义的一天",把一切都装进一个光明的尾巴里。可我劝解的能力非常差,如果在旧时的农村,大概是妇女圈里最受排挤的。

她吃了很多很多肉,我都已经吃不下了,她还在一直点。

"真是很贵的料理啊。"结完账,她又说了一遍,非常不安,好像吃很贵的牛肉是比离婚更严重的事故。

回住处的时候，我已经学会了怎么坐地铁。

因为喝了点酒，更加开心。因为掌握了新的技能而变得很自信，像第一次放学不用家长接就能回家。人踩着落叶回宿舍，觉得能够这样度过一辈子。

并不清贫的独身女学生，真是一种最理想的生活了。

2015.12.17 （星期四）

今天在六本木的森美术馆看了村上隆的《五百罗汉图》。森美术馆在六本木 Hills 的 53 层，坐电梯上去的时候会有些许耳鸣，里面空间不算太大，只有一层，在美术馆里应该算袖珍的。

村上隆的《五百罗汉图》一共有四幅巨大的画，包括青龙、白虎、朱雀、玄武。这组图应该是对狩野一信在增上寺的《五百罗汉图》的戏作。村上隆在日本"3·11"大地震之后画的这组画，第一次展出是在多哈，因为卡塔尔是日本震后第一个提出援助的国家。

他画的罗汉鲜艳而斑斓，散落在银河系之外，或开膛破肚，或从身体里长出奇怪的器官来。也许艺术家是想让人们在荒诞的恐怖中获得奇妙的安慰？

我看过村上隆在"3·11"地震后执导的电影《水母看世

界》，讲一个小学生获得了一个叫作"水母宝宝"的神秘生物，看得让人回到了童年——智力上。电影制作非常粗滥，故事讲得也勉强。它如何安慰灾后受伤的心灵？大概就像面对一个在葬礼上哭得不能自已的人，忽然指着他身后喊道："看！UFO！"哀伤的人或许会因为错愕而短暂地停止哭泣。

我想自己还是无法理解村上隆的"超扁平风格"，包括所谓的"次元文化"——在东京街头，眼睛占了整张脸三分之二的动漫形象让我头晕。这是人们为了逃避吗？逃避成年人的情感，以逃避成年人的责任，面对复杂的情感用一句略带神经质的"哇——"来应付。人为了逃避要面对自己，可以做出一切事来。

逛完后去了美术馆的商店，没有挑中什么。后来在歇脚的地方看到村上隆的纪录片，20年前他还是清秀而挑衅的少年，现在已经显得很胖很邋遢了。时光如此不留情，四五个重要的展览即是一个画家的全部生命，于是又冲回艺术品商店买了一件T恤和一个小画册。

毕竟无法再回头。

六本木满街都是好吃的，我却始终没有进一家店，还是在超市买了一个饭团和一杯牛奶回住处吃。

我还无法克服一个人吃饭的羞涩。

2015.12.18 （星期五）

　　今天在表参道的根津美术馆看了《绘物语：从王朝物语到御伽草子》的展览。查了一下，御伽草子指的是日本室町时代的大众文学，画在小册子上。

　　其中王朝物语的部分是绘在屏风上，印象最深的是一对男女在浮舟上，面色苍白。女人衣冠不整。不知道为什么，屏风上的男女显得鬼头鬼脑，似乎对自己做的事不大自信。

　　《源氏物语》中有个女性角色叫作浮舟，她是在乡下长大的私生女，被匂亲王轻薄玩弄，后来投河自尽，被救起后出家了。不知道她是否是画中的女主角。

　　屏风都很精美，其中几幅镶金色的更是夺目。可我真正被震慑到的是摆在大厅的北齐和唐的雕塑。

最高大的是一尊白色的北齐佛陀，手已经没了，身形流畅，衣服上的褶皱很优美，最迷人的是他的神情——一种介乎慈悲和满足之间暧昧的神情。我总忍不住朝他脸上望。

还有一尊是唐朝天龙窟第二十一窟的观音像，眼鼻唇秀美极了。我看了一会儿，简直要像谈恋爱一样脸红起来。

根津美术馆有个庭院，修得非常漂亮，一些石刻的展品直接放在庭院中展出。恰好是中午阳光最好的时候，绿植茂盛汹涌，拾阶而下深不见底，觉得再往下走有个高山寺院也不奇怪。在都市最繁华的地方竟然有这样的处所，真是不可思议。

逛完美术馆，我又在街上走了走。表参道商业很繁华，可我现在对买衣服有种怯懦的心态，所以也没有仔细逛。

天开始阴了，心情稍微有点不好，觉得之前饱满的精神状态如同充满气的气球，稍微戳破一个口子就会全部泄气。从咖啡馆的窗户看到里面的人暖和又开心，觉得自己像卖火柴的小女孩。

后来找了一家老字号的炸猪排饭，点了个套餐，一个人吃了三碗米饭，还喝了杯酒。

看到其他人也全是一个人吃饭，像考试一样中间隔一个座位，很害怕交流的样子，每个人都吃得又快又用功。我一下子就被这场景治愈了，东京是一个没有人打搅，也不必打搅别人，就能够活

东京一年

ONE YEAR IN TOKYO

蒋方舟推荐东京之旅

足跡

足跡

大约 100 年前，36 岁的日本散文家永井荷风穿着木屐，拄着蝙蝠伞，漫步于东京的大街小巷，写下《东京散策记》。

散步不仅仅是老人的特权。在永井荷风这里，散步是对即将看到来的逝去的迷恋。

他生活的年代，是日本忙于赶上西方经济工业技术，全面西化的明治时期。永井荷风本人曾在欧美留学，他深知西方文明和城市文化虽然新奇，吸引人，但终究不如江户传统来得宝贵。可人们总是在丢弃已有的东西时毫无留恋。

永井荷风用脚步去记忆马上就要被淘汰，拆毁的旧东京，悠闲的脚步常常被后方疾驶而来的气车声催促得狼狈不堪，他感觉自己像旧日街道，看到日新月异的人生相，被全世界摒弃。

他游荡过喧嚣的日光街道，看到日新月异的人生相，被全世界摒弃。不赞美进步，而欣赏那些转瞬即逝的美感。

永井荷风这本书应成几年后，1923 年的大东大地震几乎摧毁了整个东京本的战争让东京化为焦土。60 年代的奥运会让城市大兴土木，完全变了样子。

永井荷风应该庆幸自己写下了这本散步书吧，这本书把他留在了那些当下，无告，无望的绝版风景里。

永井荷风写作这本书的 100 年后，我看到一个偶然的机会在东京待上一年。这一年的逗留没有任何目的，我被动地开始在这个城市里漫步。

很多人号称自己在日本寻找到了传统中国，我觉得这种想法未免太天真。这座城市即使和传统的自己，也隔着万水千山。

城市的改变是靠欲望推动的，和个人的变化一样。今日之我非昨日之我，因为今日之我想获得新的东西，新的体验。

个人无法改变城市变化的进程，却可以像永井荷风一样，用书写来选择自己留在城市的哪一段风景里。我标记下自己在东京一年的足迹，无论是一个餐厅，还是一座寺庙，标记的一刹那就已经是怀念。怀念那个空间曾经带给我的不可替代的生命体验，怀念永远逝去的昨日之我。

得很好的城市。

从今天开始,我要学会享受不能够以各种形式分享的快乐。

2015.12.19 （星期六）

今天去参加了"东京中国独立电影展"，看了王超导演的《安阳婴儿》。

电影是 2001 年的片子，当年得了很多独立影展的奖。故事讲的是名叫"小红"的姑娘把和黑社会大哥生的孩子遗弃在街上，被一个名叫"肖大全"的下岗单身中年工人捡到。小红愿意每个月给工人 200 元生活费。后来，小红和肖大全互生好感，她在肖大全的家里经营皮肉生意，肖大全抚养孩子，两个人渐渐产生了感情。同时，黑社会大哥得了白血病，想要回孩子。肖大全打了"大哥"，入狱。小红的孩子也被抢走了，她还被送去劳改。

电影开头就是长达十分钟的镜头：一个中年工人在不同的地方走啊走啊，毫无节制地"表达心中的苦闷"，简直看得人对接下来的两个小时充满了绝望和恐惧。还好后来的节奏变快，比预期好看。

有两处地方我觉得处理得失败。

第一处是性。电影最大的转折就是肖大全在第二次向小红索要生活费时，提出要把孩子还给小红，小红跟肖大全睡了一觉之后，肖大全态度大变，立刻殷勤地表示要养小红和她的孩子。后来退了一步，让小红在自己家"做生意"。

如片中这种性的饥荒非常老套，基于性饥荒的人性转变显得非常可疑。我总觉得很多男性艺术创作者对于男女关系没有想象力，一旦觉得作品里男女关系缺乏推动力，就用"性"作为万能的解药。

或许他们本质上还是觉得性意味着自己占了便宜，两性关系从此就制衡了。

第二处是电影里的小红形象。中国的男性艺术创作者擅长塑造受苦受难的形象。小红一定是单纯的——骨子里依然存有尚未失落的小女孩般的快乐；善良——同情弱势群体；自我牺牲——不贪图物质享受，而是为了病重的父亲或上学的弟弟；向善——只要生活发生些许转变，随时打算不干，转而从事一份普通的工作。

年中的时候看过一个 80 后年轻导演的处女作,女主角也是如此。

我在想,为什么男性艺术创作者那么迷恋这一类的女性形象?我猜这大概符合某种懦弱的英雄想象。小红代表了性的精通和开放,可以弥补男性在性方面的羞涩和自卑。而她们饱受苦难的经历让男性觉得自己有解救的使命,况且解救她们并不难。她们深陷暗无天日的沼泽,只需要一点微薄而正常的小恩小惠就可以温暖,是最容易取悦的一类女性。

《安阳婴儿》里的小红高大健美,有一幕是她坐在自己的床上发呆,双腿修长,胸部高高耸起,一点赘肉也没有,而下岗的肖大全矮小老瘦。如果女主角不是这种需要"被拯救"的角色,她一辈子都不会爱上他。

好像是格雷厄姆·格林在《文静的美国人》里写过:"她们爱你是为了报答你的体贴,你使她们有了安全感以及你赠予她们的礼物——她们恨你是为了你打她们,或是为了一件待她们不公平的事。她们不知道爱是怎么回事——只是走进一间房去,爱上了一个陌生人。"

且不说小红这种形象的老旧,我甚至觉得这种想象是非现实的。

我见过一个"小姐"——也是我唯一见过的这型的女性。她是我认识的一位男性的"女朋友",很年轻,叫海藻,才二十岁左右。白嫩圆润,却是瘦小的六边形脸。

海藻和其他同龄女孩没有什么区别,只有一点特别,她猜拳玩得非常好——从最简单的剪刀石头布,到略为复杂的"五—十—十五—二十"。我认识的男性朋友说:"我猜拳很厉害,可只有海藻她一个人能赢我。"语气里有说不尽的骄傲和沉醉。

当然不是这样的。他猜拳并没有很厉害,他女友也不是唯一能胜过他的人。即便能胜过他,也是因为职业的训练。可那位男性朋友并没有意识到这显而易见的常识,更愿意相信自己的女友是最特别的,智商超群,出淤泥而不染。

后来才知道,他想帮女友赎身,并给她找了一份体面的工作。女孩却不愿意接受,因为她认为没有比现在的工作更轻松和能挣钱的了。

男性自以为的英雄主义落空了。

而我在新闻里看到抛弃孩子的性工作者,大多显得很麻木,眼睛里并没有闪烁着所谓纯洁和向往新生的光。

看潘绥铭教授写的《我在红灯区》,里面讲现在拐卖来或被强迫的"小姐"其实很少。有三个"小姐"合伙找了一个"妈咪","妈咪"很累,不仅要站岗放哨,还要筛选客人,客人挑不对还要怪"妈咪"。还有,"(高档卡拉OK厅)墙上贴着大红纸,写着'纪律':不许不理客人,不许抢客人的歌唱,不许抢客人的酒喝……不许打骂客人",说是因为90后的"小姐"都非常凶,对她们来说,钱是其次,主要是为了玩,所以她们凶悍任性,稍有不如意就辞职了。

男艺术家啊,还是太幼稚了。

2015.12.20 〔星期日〕

今天换了双人房。空间很大，还有小冰箱。浴室和厕所分离，非常奢侈的空间。但其实我更喜欢小的单人房，所有东西都挨挨挤挤摆放着，得非常小心翼翼地生活。

我住在高密度的东京里密度最低的地方，是城市正中的政治中心，走路到首相官邸只需要五分钟，和住在中南海没什么区别。我住公寓的二楼，大部分时间异常安静，宽阔的马路上偶尔才有汽车经过的声音，让人心惊肉跳。我宁愿住在铁道旁边，能听到规律的噪音，那种没有灵魂的机械声最让人安心。

下午去神保町买旧书，因为是周日，所以很多书店都关了。不懂日文，只能选画册看。翻了翻藤田嗣治的画册，他是法籍日裔画家，他的画虽然有西洋画的画法，可是能非常明显地看出抵抗——画里无论是人还是猫，都有种压抑而低沉的愤怒，十分有趣。

还翻了翻寺院壁画的画册和浮世绘美女的画册，美得太腻了，没有买。

回家看了纪录片《情热大陆》，讲的是一个30岁的日本作家羽田圭介，他从高中时写作出道，几乎每部作品都获得了芥川奖的提名，是日本风头最劲的年轻作家。娃娃脸，下巴很短，但不丑，勉强可以算"美男作家"。

今年，羽田圭介终于获得了芥川奖，不过是和一个搞笑艺人又吉直树平分。

又吉直树是80年内唯一获得芥川奖的艺人，所以非常轰动，地铁的海报上、饮料瓶上都可以看到他的广告。老老实实的羽田圭介关注度少了很多，书店里他的书旁边有个牌子写着：“我也得了芥川奖哟！”非常可怜。

后来羽田圭介也开始参加综艺节目，他有些呆子气，总是扮演被欺负的角色。他在节目上很卖命，知名度上涨了很多，在街上也会被认出来了。纪录片最后的画面是羽田圭介结束了白天的写作之后，晚上到电视台录节目，疲惫得躺在狭小的化妆间里起不来。

我当然很自怜地想到了自己。今年夏天我也参加过一个综艺节目——一档竞技类真人秀，伪装成 24 小时不间断拍摄，但当然不是。所有起床的镜头都是化妆师化好了妆再躲进被窝，假装惊恐和愤怒地被摄影师叫醒。除了我以外，其他人都是艺人，他们非常善于展示自己讨喜的一面，只有我窘到了极点，几乎所有镜头都是叉着腰一脸尴尬，像是作弊被抓。当第一个被淘汰的时候，我如释重负。摄影师扛着摄像机跟着我很长时间，大概想拍到我哭泣的镜头——哭泣、呕吐、愤怒对电视镜头来说都是宝贵的，结果摄影师再次失望了，只拍到我一个迅速收敛的干笑。放下摄像机的时候，摄影师骂了一句街。

我无法表演"作家"的角色，因为作家表演不出来。在世界上所有的职业里，恐怕只有作家是越清醒才能越优秀的。其他职业的成功都需要一定程度的自我催眠，鼓励自己克服缺点，战胜脆弱。只有作家不需要，作家住在自身缺点搭建成的监狱里。

2015.12.22 （星期二）

今天在歌舞伎座看了歌舞伎的表演《妹背山妇女庭训》。

它讲的是个一定会被当今的女权主义者唾弃的故事：飞鸟时代，卖酒家的女儿三轮爱上了隔壁的美男子乌帽子求女（他的真实身份是著名家族藤原家的儿子）。一日，一个穿着橘色华服的美貌少女来找求女，三人僵持不下，少女逃走，美男子求女紧追其后，三轮也跟在他们后面。

橘衣少女逃到山上，被美男子求女追到，两人又是僵持又是温存。这时，三轮也追赶了上来，开始教训橘衣少女没有妇德（也就是剧目的出处）。少女反驳，两人几乎快要厮打起来。

我在台下看得很紧张，以为要有一场打戏。这时，一直在一旁默不吭声的求女终于走到两人中间，牵着两个女人的手，三个人跳起舞来。

看到这一幕，我在台下大笑起来。身边打扮高雅的老太太瞪了我一眼。

台上三角恋的三个人又唱又跳，歌词的内容是给山间的植物取名字："荆棘像武士，菊花像皇冠，那株高高的红色的花叫作妻子，旁边矮一点的叫作情妇……"

三个人就这样愉快地唱着歌，做出优雅的手势，微微摇摆着身体。男人身穿黑色长袍，下摆有五彩的褶皱。两个少女一人穿橘一人穿绿，橘色华贵，绿色俏丽。三人雪白颀长，摇晃了非常久，脸上都是一脸无奈，瓮声瓮气地像是在和观众怄气："搞成这个样子，我们也没办法啊。"

第三幕，橘衣少女逃回了宫殿，她是苏我入鹿的妹妹。苏我入鹿是有名的权倾朝野的奸臣，藤原家的敌人。求女随着少女来到宫殿，发现她是仇人家的女儿，要杀了少女。

橘衣少女跪在地上感慨："你要杀我也是没办法的事，谁叫我爱的人这么强壮。"双手合十摆出祈祷的姿势等待死亡。求女被打动了，说："我不杀你也可以，但是你得把你哥哥的宝剑偷给我。这样我就可以跟你成亲。"

少女高兴又悲伤，姿态非常卑微，连哭泣都在求女的呵斥下不敢大声。

据说这出戏是日本人听了《罗密欧与朱丽叶》之后写的。莎士比亚如果看到这个故事估计会气得落泪，他笔下那么浪漫的罗密欧变成了这样一个一言不合就拔刀相向的无情男子。

这时三轮也追到了宫殿，她想见求女，却被宫女百般凌辱戏弄；想要报仇，又怕求女厌恶她仇恨的姿态。最后终于忍无可忍地要冲进宫殿见求女，结果被藤原家的门客一剑刺穿。

门客说，入鹿的母亲曾经喝过公鹿的血，所以拥有超能力。破解超能力需要吹响混杂着嫉妒女人和公鹿的血的笛子（感觉破解超能力的方法非常牵强），这样入鹿就会心性大乱。

血泊中的三轮非常高兴，因为她爱的人原来有着如此高贵的身份，并且自己还能帮爱人立功。她在笛声中不断恳求能再见爱人一面，最后在低声的恳求中死去了。

三轮死去之后，舞台上还要上演其他的剧情。我看到道具人员再次上场，带着一块黑布，饰演三轮的男旦就在这黑布的掩盖下偷偷离场。从黑布后面能看见他小而细碎的步伐，在观众看不见的时候，他依然比女人更窈窕动人，让人生怜。

第三幕里扮演三轮的男旦是赫赫有名的坂东玉三郎。他的确和前两幕里的三轮不大一样，说话更自然轻快，没有太多的歌舞伎腔调。前两幕里的三轮娇艳中有种刁蛮，坂东玉三郎扮演的三轮则是再自然不过的少女。

坂东玉三郎是个世袭称号，世世代代传下来，如今已经是第五代。他年轻时患过小儿麻痹，后来靠着强大的意志力成为最负盛名的男旦。

三岛由纪夫曾经看过他初次登台，当时他演的就是《妹背山妇女庭训》里的三轮。三岛由纪夫感慨他是"从天而降的象牙精雕的花旦，反时代的魅惑"。那时候的坂东玉三郎应该还不到20岁，那种天真而可怜的风韵只能靠想象了。

歌舞伎的宿命是要不断地传承——他的儿子也注定要从事歌舞伎的工作。日本国宝级的能剧演员野村万斋不到4岁开始登台，和父亲一起出演。他的儿子同样不到4岁初登台，演一只小狐狸。野村万斋在台上对儿子念台词，宣告他的宿命："汝之一生将时运不济，命运多舛，哪怕落入黄泉，亦不得解脱……"说着，就落下泪来。

坂东玉三郎的宿命要更悲凉一些吧，天生就要继承这么脆弱而容易衰败的命运。

晚上回家，重新看了一遍三岛由纪夫的短篇小说《旦角》，他写道："增山从万菊那温柔、婀娜、优雅、纤细以及集种种女性魅力的舞台身姿中，感觉到有一种犹如暗泉般的东西涌现出来。居然增山无法把握那究竟是什么，但他却曾认为那是舞台俳优最大魅力的莫名之恶，是那种诱惑人心，让人们沉溺于瞬间美之中的优美之恶，这才是那暗泉的真面目。"

三岛由纪夫被坂东玉三郎激起的"暗泉"，恐怕是性欲吧。

作为女性，我看到比女人更娇弱动人的男性，并没感觉到任何的嫉妒和保护欲，只是觉得有点难过。世事艰险，连男人都变得不像男人，更不需要什么男花旦的点缀了。

2015.12.30 （星期三）

下午去成田机场接爸爸妈妈。

从来没有去过成田机场，没想到那么远，离市区大概60公里。我坐错了一趟车——本来应该坐京成本线的急行线一直到头，看到周围人都下车了，我也就跟着下了车，路上又换普通车，短短一路停了二十几站，越走越心慌。

飞机落地妈妈给我打电话，我还在荒凉的小站站台等下一班车，站台外的城市很寂寞。放假，饭馆都没开，招牌上激昂而夸张的文字显得更冷清了，像停留在20年前。泡沫经济前的日本，充满着干劲，男人头上系着白色的汗巾。几个穿着足球队服的中学生也在站台等车，他们也像是20年前电视剧里的人。

终于重新坐上了正确的车，手里紧紧握着手机，页面上谷歌地图的小蓝点一点点移动,慢得没有头。

　　比预计时间晚了一个小时才接到爸爸妈妈,他们打扮得很精神。妈妈穿着淡金色的羽绒服,爸爸穿着蓝色的小羽绒服,还戴了我从法国给他买的帽子,两个人都尽可能地体面。

　　带爸妈坐了漫长的电车到了市区,住进我订的宾馆。房间非常小,几乎只容得下一张床和一张桌子,连一把椅子都摆不开。厕所也很小,浴缸小得只能蜷缩着躺。没办法,这是我能订到离我宿舍最近的房间——虽然价格高得离谱。

　　爸妈累得不行,说吃碗泡面就行了,可我还是粗暴地坚持带他们出去吃饭。由于过新年的缘故,很多饭馆都已经关了。找到一家还开着的餐厅,点了很多菜,甚至还点了一直不敢尝试的马肉刺身。味道却很一般,带着血的马肉,太鲜活了,似乎能尝到它生前奔跑时的味道。爸妈的赞扬都很勉强。

瀬户内海艺术祭。人烟稀少的小岛上到处是装置艺术，这个篮筐叫作『Nobody Wins（无人获胜）』。

日枝神社，在寸土寸金的千代田区。故事里一回头就会消失的幻境。

东京密集的钢筋水泥森林中，常常会出现一块大得让人慌张的绿地、一个神社、一块墓地。它们出现得如此突兀，仿佛神怪

东京有很多只有一个人经营的小店。盈利仅仅能维持着了经营，这家里里的餐作很，四点。沉默的老板做菜很慢，做出的食物味觉惊艳程度不输米其林大厨。

而且无名，地图上都找不到，它只卖烧烤肉串，从晚上九点经营至早上

大塚的一只流浪猫。我从地铁回到住处的路上，总能看到它灼灼地看着我，仿佛寄生着夏目漱石的灵魂。

在大塚商业街偶遇的一个男人。他神情倨傲，走得很慢，仿佛在听从脑海里一个不合时宜的节奏。他像是昭和时期的文人穿越而来，身着浴衣，踩着木屐，拿着拐杖，一边漫步一边哀叹被现代化毁掉的江户。

只有面对动物的时候才露出这样母性大发的表情。

我喜欢天气好的下午去神保町旧书街，书店的老板会把一筐筐的旧书摊开在太阳下晒着。我有时真有幻觉，看到书中的旧灵魂跳出来，掸掸身上的灰尘，伸个懒腰。

东京遗留的唯一的市内电车——都电荒川线。电车行驶的时候会发出叮叮的声音。我总坐这趟车去更便宜的巢鸭买日用品，电车紧贴着一家的屋檐外前行，驶进一片鳞次栉比的人情味里

新宿街头，我在新宿总是迷路，它像是时空被折叠的迷宫，最时尚的百货公司、最低俗的风俗店、破败的酒吧街、浪漫的法式庭园、新奇的外国游客、疲惫的上班族、看相的师傅，全都以不可思议的密度拥挤在同一个地区。

这个 cosplayer 是个中国女孩。

2015.12.31 （星期四）

　　早起去宾馆接爸妈出去玩。按照最浅薄的游客指南，给他们安排了一天的行程：浅草寺、筑地市场、东京塔、银座、明治神宫。

　　他们每到一个地方，就迅速地找标志物拍照，然后催促："快去下一个景点。"中午不到，就逛完了我安排的所有景点，我也没好声气地说："不逛了，没有景点了。"

　　到了吃饭的点儿，我想找一家看起来不错的餐厅，挑选了半天，父母总是觉得贵，到了门口又把我拉走。三番五次地，我便心底生出一层灰来：怎么会这样，变得这样滴水难渗？我担心自己老了也会成这样，因为弱势，反而偏要将自己身上生出一层角质来抵御想象中的"欺负"与"歧视"，把别人撞得头破血流。

　　三个人气鼓鼓地坐在长椅上，也不讲话，同行却一点也不同心。想到自己小说中的一句话，"爱想象中的人很容易，可当他们来到你的面前，爱他们就变成了一件困难的事"。

最终找了一家北海道风味的餐厅，我跟年轻的女服务员说英文，她说："你们可以说中文。"

原来是女留学生。和父母感慨了一番留学生生活的不易，算是终于化解了一上午的不快。

晚上把父母送回了宾馆。我自己在住处写稿，是杂志社的一篇约稿——《年轻的老干部》，说是现在流行的男偶像类型是禁欲系的老干部型。我想，这恐怕和前两年流行热爱"扑倒大叔"是一个原理，都是叶公好龙，爱的不是大叔，是老了的小生：岁月没让他们沾染一点点市侩俗气，他们增加的只是风情万种的眼角笑纹。如果真有一个摊煎饼或者开出租的大叔反扑过来，估计"大叔控"们跑得比谁都快。爱"老干部"也一样，爱的是年轻面容同老式做派的反差，真遇到爱做古体诗并高声朗读的老干部，谁还爱得起来？

你愿意和老灵魂相遇吗？

20 世纪 30 年代，两个聪明绝顶的年轻人弗雷德里克·丹奈和曼弗里德·李开始合写侦探小说，他们很快就创造出了自己的侦探形象，不是什么身手矫健、风流倜傥的中年贵族，而是一个老人——哲瑞·雷恩。那是一个退了休的莎士比亚剧男演员，一个稍微有点矫情又有点骄傲的老傻瓜，耳朵全聋，说话却滔滔不绝，声音富有意蕴且耐人寻味。

哲瑞·雷恩或许是迄今为止最杰出的侦探，他从不急躁，富有同情心，偶尔流露的脆弱和感伤能触动读者心中最温柔的部分。在哲瑞·雷恩探案系列第一部《X的悲剧》一书中，哲瑞在遇到挫折时，沮丧地几乎光着身体躺在一张熊皮上。作者贪婪地描述着读者眼前看到的场景："他斜躺在那儿，除了靠下腹部有淡金色的体毛之外，全身光滑发亮。古铜色的皮肤、结实的肌肉和修长平滑的身体，说明这个人仍处于生命的顶峰时刻。"

仅仅此段描写，就可以看出作者——这对表兄弟对这个老人的角色倾注的爱与温柔，他们把一切理想的品质加诸这个角色身上：拥有老年的睿智、青年的好奇，最重要的是——穿衣显瘦，脱衣有肉。

与其说哲瑞·雷恩老年人的皮囊下隐藏着两颗年轻跃动的心，倒不如说哲瑞·雷恩的形象是作者胸腔中无法按捺的老灵魂幻化成了形。

与哲瑞·雷恩形象相对的，侦探小说史上还有一个让人难忘的女性形象，就是阿加莎·克里斯蒂笔下的马普尔小姐，她第一次出现在小说《寓所谜案》中的时候已经六七十岁（那时的阿加莎·克里斯蒂刚刚四十岁），有织不完的毛衣，年纪老到仿佛不会再增加任何岁数。

对艺术创造有热情的人——无论是不是侦探小说家，都是天生敏感多汁的人。要么从小历经坎坷，小小的心灵被迫磨砺得如同成年人一样坚硬粗糙，要么被迫仰望着世间众人千姿百态的面孔长大，被迫看透了生死。因此他们提笔就老，那些超越了年轻的经验汩汩流出。

比如著名的意大利导演保罗·索伦蒂诺，他的父亲是银行家，他本该跟随父亲的脚步去工作，可十七岁的时候，父母在一场事故中双亡，于是一夜十年，瞬间长大。他获得奥斯卡最佳外语片的电影《绝美之城》，虽然全篇都在美丽且富有活力的罗马拍摄，却时刻笼罩着死亡的阴影。比如他用漫长而精彩的台词来讲述葬礼：

"葬礼对于上流社会是最棒的事，你不会忘记出席葬礼时自己站在台上的样子。你必须耐心等候亲友们散开来。此时，你可以向家人致以哀悼，一旦所有宾客就座完毕，你拉起送葬者的手，低声对他们说些安慰的话，也把你的手放在他们肩上，要很可信，比如说：'从今往后，如果你感到空虚，我想要你知道，可以随时依靠我。'你可以独自退到一个角落里，看起来是沉浸于悲痛。然而，还有一件需灵活处理的事，你要选择一个看起来孤单，但大家一定都能看见的地方。另外，好演技的要点在于别演过头，所以基本原则就是：绝对不要在葬礼上哭泣，不要盖过了亲人悲痛的风头，那是不行的。"

不知道索伦蒂诺是参加过多少场葬礼才从中提炼出这些苦涩而尖刻的幽默。

还有一种"老灵魂"，并没有经历过什么坎坷，可是天生早慧，当同龄人还沉迷于各种幼稚的游戏时，他们更爱观察老人。老人像是另一个物种，或是另一种形式，当世界是 GIF、AVI 格式的时候，他们已经提前进入了 JPG 格式，没有多余的动作，所有的情绪反应也降到最低。

老人反而能看得很远。年轻人看得很近，因为向往未来，恨不得未来的每一分钟都要了解。老人支配未来的额度已经变得很低，只能看回过去，因此他们的视野反而变得很远。广袤无垠的过去的荒原，他们是主人。

张爱玲写自己三岁时能背诵唐诗，摇摇晃晃地立在一个满清遗老的藤椅前朗诵"商女不知亡国恨，隔江犹唱后庭花"，眼看他的泪珠滚下来。这画面给她留下不可磨灭的印象。

早慧的艺术家喜欢顺着老人的目光望出去，视野一下子变得辽远。可危险在于，很轻易地能看到人生的虚无。比如太宰治，年幼时眼睛就看到了虚空，耳朵就听见了死亡的诱人笛声，发觉人生长梦本没有意义，于是年纪轻轻就写下了《人间失格》，同时一次次起身准备自杀，终于成功。

谁不愿意拥有老灵魂？青春之躯下有着一颗沧桑的心，活得自知、克制，生命仿佛是一场漫长的"余生"。

——这也是如今"老干部"大热的原因，"老干部"代表了一种不同的生活方式，禁欲，节俭，热爱养生，情绪起伏小，对一切司空见惯。这对于年轻的女孩来说有致命的吸引力，不仅仅是俊朗的外表和老派举止之间的反差萌，还出于一种经验上的崇拜。"老干部"虽然在年纪上大不了几岁，却仿佛在人生的路上遥遥领先，早有经验，可以带领伴侣一起往前走，遇到沿途险阻或许还会蹦出几句"红军不怕远征难，万水千山只等闲"之类的诗句。

可老灵魂也要付出代价，老灵魂永远与世界相背而驰。世人快乐兴奋，老灵魂暗自神伤；别人心灵驿动，老灵魂暗自神伤；世间大兴土木，老灵魂眼里看到的却只有废墟残垣。老灵魂注定孤单一魄，孑然一身。

现在，你愿意和老人交换灵魂吗？

2016.1.2 （星期六）

　　昨天带爸妈去了京都。著名的清水寺，人很多，穿和服的大多是香港人，一开口全是粤语。中午找了一家有名的餐厅吃饭，最受欢迎的菜是豆腐火锅和芋头煮的汤，据说是某个古代高僧发明的。我爸失望又生气："都到国外了，还让我们忆苦思甜，小时候吃芋头都吃怕了。"

　　又去了以禅宗石庭闻名于世的龙安寺，细砂碎石铺地，没有植物，只放了几块大石头。无论男女老少都按照告示木牌的指示，坐在屋檐下参禅。我和爸妈也坐了一会儿，久了终于觉得不耐烦。我不太相信这样硬生生参禅的效果，我相信生活本身即修行，到了指定的地方才能参透人生的禅意未免太做作。

　　下午去的贵船神社倒是很惊喜。神社在京都北部鞍马山西麓，坐电车到贵船口，还要步行半小时。走上行的山路，两边是参天大树，浓荫蔽顶，乍阴乍晴的天光成了碎屑，在路上一点点掠过。然后见一排石阶，阶旁是红得鲜艳的献灯。石阶上站满了安静排队的人，是为了新年祈愿。

贵船神社供奉的是水神，有水占卜的特色。买一张占卜符，经神社里的溪水浸过之后便有吉凶浮现出来。我试了一张，"小吉"。人是这样难伺候，是"凶"便恼火不信，是"吉"便怀疑每张都是吉，担心自己被糊弄了。

神社里有块石碑，刻着和歌："朝思暮想，萤光似吾身。魂牵梦萦，点点均吾玉。"

这是和泉式部曾经在这里祈愿时，忽见漫天萤火虫留下的诗句。

和泉式部是个奇女子。她是平安时代的文人，以写和歌闻名，同写小说《源氏物语》的紫式部及写散文《枕草子》的清少纳言并称三才女。紫式部对她评价很低，说她作为歌人没什么值得自己学习的才华，还语带保留地说："和泉式部不是一个安分的人。"

紫式部的评价倒并不是因为文人相轻——再加上所有女人都可谓是同行，轻上加轻——比起紫式部来，和泉式部的确算不得专业女文人，而是个恋爱专家。

和泉式部出身于书香门第，18岁结婚，丈夫是权臣幕僚。结婚没几年，丈夫外出工作。新婚甜蜜，她写少女依恋；丈夫出差，就写苦情思念。对于文学爱好者来说，自怨自艾是刺激灵感的"春药"。和泉式部出于孤独写了许多和歌，很有些名气，吸引了美貌的皇室贵族——弹正宫为尊亲王。

和泉式部作为一个已婚妇女，以一首暧昧的和歌回应为尊亲王的求爱：

"白浪流，流藻随波动。不为多动，非我本意。"

——进可攻退可守，调情高手。

为尊亲王与和泉式部开始恋爱。因为这桩不伦恋，和泉式部与家庭断绝了联系，一心一意地和恋人在一起。几个月后，为尊亲王暴毙身亡，原因据说是不顾被流行病传染的危险，深夜去拜访和泉式部而染病至死。出轨对于女性来说是罪大恶极，但情郎尊贵，大家不得不敬她三分，可她又害得尊贵的情郎死了，简直十恶不赦。

然而和泉式部的故事才刚刚开始。

为尊亲王死后十个月，使者为和泉式部带来了一束白色橘花。送花的人是为尊亲王的弟弟——帅宫敦道亲王，风采更甚其兄。一个是尚未习惯孤独的少妇，一个是对声名狼藉的才女嫂嫂充满猎奇心理的小叔子,对于一个爱情故事来说,这并不是多美好的开端。

和泉式部写了和歌回应:"若忆故人情,莫去寻花丛,闻得杜鹃啼,其声可相同?"

若以严格的道德标准来看,两人的调情近乎无耻了:以死去的为尊亲王作为调情的媒介,一个借橘花来喻故去的亲王身上的香气,一半吊唁一半勾引;另一个则借杜鹃来邀敦道亲王见面——不知道你的声音是否和你哥哥一样呢?

和泉式部和敦道亲王迅速如胶似漆,甚至搬进了亲王府。四年之后,敦道亲王却也去世了。

一年之后,和泉式部被选入宫中,作为女家教,侍奉宫中的女子。

中国古代也有专门给贵族女子上课的女家教,叫作"闺塾师"。闺塾师的存在或许是对自古提倡的"女子无才便是德"这种误会最好的回击。在古代,父母并不希望自己的女儿是头脑简单的白痴,他们也希望自己的女儿具备诗书才华,能在男性的社交场合应对自如。当然,这种女子教育并不是为了把女人培养成专业才女,而仅仅是为了增加她们在婚姻市场上的资本。

作为专业才女,在活着的时代和死去的历史中面对的挑战是不一样的。

活着的时候，才女要强调自己的忠贞和无瑕才能获得生路。最典型的是明末清初一个叫黄媛介的闺塾师的故事。

黄媛介嫁给一个失意的学者，丈夫无力养家，要靠她卖字画，给人教书。她的丈夫杨世功曾经描述过一个场景：他送黄媛介摆渡过河，倾盆大雨让河水涨满，杨世功送行之后就失去了妻子的踪迹。好一会儿，才看到她蜷缩在破旧驿站里，书和行李散落满地。他是静止的，目睹的，无力的；而她是移动的，吃苦受累的，不能停止的，养家糊口之余还要为自己在文学史上赢得地位而奋斗。

黄媛介的例子不仅颠倒了中国古代的夫妻关系，而且模糊了良与贱的分界。一方面，她作为良家妇女的身份无可挑剔，无论丈夫多穷且无用，她都没有背叛过婚姻；但另一方面，她又像名妓一样活跃于男性交际场合，四处旅行，交游广阔。

黄媛介必须在这个界限之中艰难地维持着平衡，小心翼翼地不让自己堕落，努力维系完整稳定的"三从"，只有这样才能获得现世的容忍与夸耀。

可当才女们死去，势利的历史却只认得有传奇的才女。女人的传奇多半与男人有关，所以当我们提起那些耳熟能详的才女时，第一反应总是她们绮丽奇特的感情生活，作品不过是串联起她们一段段感情之间薄弱的线索，或是 QQ 签名一样的点缀。就像林徽因无论留下多少诗篇和建筑论文，她最有名的诗句依然是"你是人间四月天"，这诗歌满足了人们对于一个多情才女暧昧感情生活的想象，可其实是写给她儿子的。

这样看来，一个才女是否忠诚，是否努力地压抑自己的才情而恪守着社会规则，反而没有那么重要了。有才华、勤奋、兼顾家庭的职业妇女被忘记，因为情史暧昧不清而被唾弃的"才女"留了下来。历史还希望她们再奔放些。

说回和泉式部，她后来嫁给了年长自己 20 岁的藤原保昌，但两人婚姻并不幸福。50 多岁时，和泉式部去世。

在日本传统故事里，和泉式部被当作放荡风流女的典型，种种宗教故事总爱编排她，并加以一个道德训诫意味很浓的结尾，表示：看！这样的浪女也能回头！

比如在《净琉璃物语》里，讲和泉式部祈福时知道死去的双亲没有成佛，她立誓要让双亲成佛，付出的代价是要与 1000 名男人性交。她用了三年零三个月的时间，完成了与 999 名男人性交，而最后第 1000 个男人，全身患病，样貌可怖，和泉式部犹豫再三还是委身于他。原来这个男人是观音为了考验和泉式部的诚心乔装打扮的，最后和泉式部与双亲都得到了救赎。

这有点像鱼玄机的故事，她一生短暂，从小喜欢文学，也因为文学有些名气，后来嫁给年轻的公务员为妾，被正室不容，栖居道观，把道观变成了文化沙龙，后来因为过失杀人被处死。

这个简短到用社会新闻就可以概括的人生，仅仅是因为道观门庭紧闭，所以让旁人生出无限的遐想，畅想她家里是多么酒池肉林、淫乱无序，鱼玄机作为沙龙女主人定然是常年不穿衣服的。于是，鱼玄机成为被历史选择的荡妇。

抛开历史给和泉式部塑造的荡妇形象，真实的她究竟是什么样？

我高中时读过一本《王朝女性日记》，是藤原道纲母、紫式部等贵族女性的日记，其中也有和泉式部的。她的日记以和敦道亲王调情为开始，以住入亲王府，使得亲王妃搬出府邸，自己取得恋爱的胜利为结束。

即便是日记，她写得也过于真实了。那种"真"不见得多么阴暗深刻，不过是女性的一点点自私和虚荣。

比如和泉式部写与敦道亲王第一次见面就睡了觉，然后失去了敦道亲王的音信。她既羞又恼，觉得对已故的为尊亲王有愧，在日记里反省"也许我真的是一个轻浮的女人"。一边愧疚着，一边又让小童给敦道亲王送信，问他今天怎么还不过来。

也因为真，就显得有些无聊。觉得她整日无事可做，就是辗转反侧于恋爱中的小心机。她一会儿哀怨敦道亲王不爱自己了，一会儿以亲王的口吻写日记："亲王觉得这个女人很懂得风趣……亲王觉得和这女人心有灵犀，实在是出色。"360度远中近景打量自己，简直精神分裂。

这种每天掰着花瓣数"他爱我""他不爱我"掰得只剩下植物细胞的少女作态，完全不像历史上被渲染出的放荡肉食女。

我要是平安时期爱嚼舌根的女性，估计也会愤愤不平地说："也不知道敦道亲王看上她什么。"

转念一想，或许敦道亲王爱上和泉式部的地方——并不是她作为声名在外的才女的一面，而是她这种敲锣打鼓的热闹，时而吃醋时而闹别扭，像个女人，而不像个亲王妃。亲王见惯了乌黑冰冷的发丝，低眉顺目的举案齐眉，反而觉得和泉式部这种无事生非的生命力亲近可爱，有种陌生的寻常感。

想起了张爱玲写的杨贵妃，说"杨贵妃的热闹，我想是像一种陶瓷的汤壶，温润如玉的，在脚头，里面的水渐渐冷去的时候，令人感到温柔的惆怅"。

2016.1.3 （星期日）

  带爸妈去了奈良，先是去了每个人都要去的东大寺喂鹿。不同于之前的想象，鹿非常凶，见到人手上有薄饼就横冲直撞地过来，毫无惊慌腼腆的姿态，吓得我吱哇乱叫。鹿且贪婪，见人在石凳上坐着，用鼻子拱开游客的包翻东西吃。让人想到峨眉山的猴子，先被人觉得灵动可爱，后来越来越恼人，从抢游客吃的到翻包，前两年还听说猴子抢包，直接把人推到山坡下。

  这有点像从小被夸作活泼聪明的孩子，按照大人的夸奖一路发展下去，恃宠行凶，往往变得越来越难以控制。大人对孩子的自大就是人类对动物的自大，人按照自己对鹿和猴子"淘气亲人"的设定来培养它们，满足自己对它们人设的想象——动物只是我们拍出温馨照片的道具。这样看，动物滑向无节制的粗暴便是可以理解的。

中午去了唐招提寺。寺庙的交通并不方便，从最近的车站要步行近半小时才能到。道路少有人迹，走得几乎要怀疑自己是否迷路，这才看到唐招提寺的大门。进门之后是一条平坦开阔的道路，铺满细砂。白砂参道直通金堂，金堂屋顶两端有两只鸱尾的雕塑。

"天平宝字三年，和尚普照每次到招提寺，都要抬头望望金堂的屋顶，看到他送去的唐氏的鸱尾。"

——这是我在井上靖的《天平之甍》里看到的故事。小说讲的是日本圣武天皇时期（相当于我们的唐玄宗时期），日本第九次派遣唐使来中国学习。当时的奈良仿唐都长安，无论是寺院还是街道，都修建得差不多了，只有高大的伽蓝（僧院）还空荡荡，缺少经书。遣唐使节团中有四个小小的留学僧，他们不仅要来学习佛法，还奉命负责请一位大唐高僧东渡日本去讲学。

当时的东渡不像现在两三个小时的飞行那么简单，渺渺沧海，百无一渡，鉴真和尚却毅然发愿东渡。十一年间他随留学僧六次起行，只有一次成功，到达日本时已是双目失明，垂垂暮年了。

我在历史书上多次看到鉴真和尚的故事，却在井上靖的小说中第一次看到以留学僧的角度来写这段历史。

小说中有四个年龄相仿的留学僧,分别是荣睿、玄朗、戒融、普照。四个留学僧一共在唐朝待了二十多年,其中玄朗娶了唐朝女性,生了一子一女,做了寻常百姓;戒融放弃了研究佛法奥义,成了在街道讲道说法的行脚僧;最聪明坚韧的荣睿随鉴真东渡,病逝于第五次东渡失败之后;只有最木讷寻常、缺乏天分的普照成功地随鉴真到达了奈良。

这部小说对我来说,与其说是一部佛教小说,倒不如说像是一部时间跨度很长的青春小说。高浓度的青春逐渐变得稀薄,是从同伴的不断失落开始。这种失落不一定是失联,抑或是志趣道路发生变化。谈话交心往往陷入对彼此生活选择的不赞同,为了不破坏已经伤痕累累的情感联系,索性变得越来越沉默,终于相对无言。

《天平之甍》里,四个留学僧在从日本到中国的船上同心同意,一边被风浪颠簸得呕吐不止,一边还彻夜讨论自己坚持的佛法奥义。而二十年后,却只剩下一人在约定的道路上返程。

改变并不难,换个心境,转个身段,人就软软地就势生存——像娶了唐朝女性的玄朗一样。坚持是最困难的,因为那并不是一条路走到黑的执拗,而是无数次自我动摇、怀疑、否定和否定之否定。

普照一边等着下一次遣唐使回日本的船——他要和鉴真和尚一起随团回奈良，一边抄着经书，他也不知道自己到底希望有船还是没船。有船，他就可以完成发愿，但意味着九死一生、凶多吉少；没船，他平淡抄经至死，虽未完成使命，但也不负佛法，说服得了自己。在含混矛盾与朦胧中，他等来了遣唐使团回日本的船。

鉴真一行回到奈良之后，去参加大佛殿西戒坛院的落成。准备授戒时，日本以贤璟为首的布衣高僧却不信任鉴真的佛法，认为日本一向是自誓授戒的，要求辩经胜利才能信服鉴真。

鉴真的弟子中有辩才的人不少，但都讲不好日本话，只有天资平庸且讷于表达的普照自告奋勇。激烈的辩经中，普照竟逼得布衣高僧哑口无言。在等待对方回应时，讲堂静得如水底一般，这时，坐在微暗堂内稍稍仰头的普照眼前，忽然浮现出客死他乡的荣睿的面影。

普照不是一个人，他代替旧日聪颖的同学少年辩经，他代替软弱放弃佛法的少年成长，他代替追求自我而放弃使命的少年完成了曾经的誓言。

空荡荡的伽蓝，终于因为鉴真的到来而填满了经书。终于到来的鉴真，已经双目失明，他仅靠记忆制造出了和故国一模一样的寺庙。寺庙金堂建成时，普照望着屋顶，看到他送去的唐式的鸱尾。1200 多年之后，我在唐招提寺抬头望见的"天平之甍"，屋顶上的鸱尾已经在几年前被悄然修复，变成了"平成之甍"。

物是人非，终于变成了物非人也非。

从唐招提寺离开之后，和父母去了法隆寺。法隆寺是世界现存最古老的木制建筑群，我不懂建筑，只觉得造型古朴匀称。看到一尊叫作"百济观音"的国宝级木造塑像时险些落泪，观音的身姿孤高，瘦削高挑，比例奇怪，最动人的是一只垂下的手，那是柔软而毫无力量的手——因为无力，便显得无欲无求。我微微蹲下时，正对着他微微翘起的手指，刹那间，竟觉得所有悲喜都涌上心头。

2016.1.6 （星期三）

　　昨天父亲先行回国,临行前最后一顿带他吃了黑泽明的儿女开的餐厅,名叫"黑泽",在首相官邸附近,店里挂着黑泽明画的分镜头剧本,菜也以黑泽明的电影命名。

　　黑泽明的老师山本嘉次郎的观点是:连好吃不好吃这种简单评价都说不准的人,没有做人的资格。黑泽明也爱吃,挑食,每天四顿——包括消夜,都是精心准备过的。他尤其爱吃猪肉和牛肉。

　　"黑泽"的主打菜是黑猪肉火锅,每天从鹿儿岛运来的新鲜猪肉樱花般的绯红,入口有甜味,在铜锅里涮完就着黑胡椒吃,非常鲜美。肉吃完之后,在高汤中加入鸡蛋和米饭做杂炊,肚子撑得满满当当。

　　给我爸点了一碗牛肉的便当,结结实实都是大块牛肉,他吃得很满足。

一路以来，我爸都没有真正吃好饭，面对满满一桌菜，却连下筷子的欲望都没有，还不能表现出来，得说："这么多菜简直不知道吃哪个好。"这一顿吃了大块的肉，他终于满足了。

送我爸去机场，临走前问他："你对日本印象怎么样？"

他说："真干净啊。地上一个烟头都没有。"

他来日本前就预备好了这个答案，决定赞美这里的干净。来了一遭，待了四五天，不过是证明了这个简单的结论，便心满意足地回去了。

父亲离开之后，我和我妈去了箱根，箱根的温泉因为离东京近，成了旅游胜地。入住的酒店前台服务生来自台湾，晚饭时餐厅里全是中国人，还有一桌在我们旁边打牌，而主菜竟然是一道清蒸石斑鱼，恍惚觉得自己出差去了广州。

幸而从酒店房间的落地窗往外看出去的黄昏很漂亮，夕阳把顶层的树林染成橘色，投射出接近紫色的阴影，近处的树林被染成墨绿，由远及近，浓郁得化不开。

第二天白天，和我妈去了箱根的"雕刻之森"，有很多平庸的雕刻艺术品。唯一特别的"卖点"就是建了一个专属毕加索的场馆。

我曾经去过巴黎的毕加索美术馆，有三层楼，每层几十个厅。每个厅都是毕加索在不同时期的美学探索，或者说，更像是挣扎。每个时期他都想超越自己之前的艺术创作。但"雕刻之森"没有搜集到毕加索的重要作品，大部分是毕加索晚年画的盘子——好多好多盘子，有几个明显是闭着眼睛在盘底一涂就算交差。有一张照片是他皱着眉头，对着高高一叠还没画完的盘子，看起来非常烦躁。

艺术家该如何度过自己的暮年？更具体地问，当创作已经逐渐变成比生命更大的存在，该如何面对创作欲望和热情都已减退的老年？我开始想这个问题。

寿多则辱，这句话对于艺术家来说尤甚。

写《八百万种死法》的著名侦探小说家劳伦斯·布洛克曾经描述过他创作欲望的减退：他不再写书，不锻炼，阅读无法引起他强烈的反应，吸引他的故事越来越少，他对虚构世界的热情也越来越少。他强逼自己创作新的短篇，抑郁却不断自我更新。

或许应该像塞林格那样？写完几部重要的作品，被认为是二战后美国最重要的作家，然后就隐居 50 多年，不写作——至少没有公开发表的作品，不接受采访，不允许《麦田里的守望者》封皮上印自己的照片，命令经纪人烧掉所有粉丝的信件。

无论是笔耕不辍到老死，还是只写几年，艺术史只截取作家创作生命的很小一截，而其他时间和大部分作品都被记入了"等等"。可大多数人没有塞林格那样精准的自觉——所有的创作与艺术史截取的部分刚好相等，不多出一分一毫。

于是还是闷头写吧——像毕加索那样闭眼画吧，然后等待艺术史的裁决。

中午爬了半天山路，去了小涌园车站附近的冈田美术馆。我妈查资料，听说那是一个"收藏碗的博物馆"，以为是某个退休的日本老爷爷没事干搜集了几百只瓷碗。走到面前才震惊，是一个庞大而美丽的建筑，外观有巨大的金色壁画。

后来才知道那是亚洲最大的民营美术馆，门票很贵，不仅不能摄影，还要把手机和摄像机寄存起来。美术馆里除了我们母女没看见其他人。现代人没有了手机如同在裸体闲逛，脆弱得不得了。然而脆弱或许是面对艺术最好的状态，没有镜头来掩盖自己的失措，不靠照片来让记忆偷懒，只能完全地暴露自己，把画面铭记在脑海里，然后绝望地看那画面一点点褪色。

我和我妈在第一个展厅就被震住了，惊艳的唐三彩，没见过那样生动的，是一尊打马球的唐女，勃勃生机与无邪，一下子知道聂隐娘是什么样子了。

2016.1.13 (星期三)

基金会的野口小姐介绍在日本媒体工作的 S 先生和我认识。

约在基金会对面的酒店大堂，只有我们一桌。S 先生是日本人，会说中文，但语速很慢，经常说到一半就像是放弃了继续的打算，双手抱臂兀自点头。我转动着奶茶杯子，满室只有瓷器碰撞的声音。

尴尬沉默的时刻，S 先生忽然拿出我去年出版的一本短篇小说集，翻到第一篇，指着其中一个出场不过两三百字的配角——女主角偶遇的一个画家，问我：“你写的是×××吗？”他说出一个名字，吓了我一跳，那并不是一个多么大名鼎鼎的画家，他竟一下子说准。

S 先生说：“我看过你主持的访谈节目，刚好是你采访这个画家。"

我大学刚毕业时做过半年访谈节目主持人，采访各种"高端人士"，那画家是我的采访对象。他画的是一种耗时不太久的画——类似酒店大堂挂的那种装饰画。他得意地自称每天早上六点起床之后先用两小时画价值两百万的画，再做别的事。采访结尾我问他的梦想是什么，他说是在八十岁之前画的价格超过毕加索。

采访结束之后，画家请包括我在内的摄制组吃饭。他左右两边各坐了五六个年轻貌美的学绘画的姑娘，异口同声如环绕立体声一般赞美这位画家。看到人如此不遮掩地展示财富带来的权力，总会让我觉得尴尬。他们单薄的人性就像戏剧舞台上的丑角脸谱，鼻子上被涂抹了一大块白粉。

"能看出你很不喜欢那个画家。"S先生说。

我以为采访中自己对画家的态度掩饰得很好，不断赞美他的远见，夸他为国争光。原来这么容易就露出了马脚。

2016.1.16 （星期六）

一个朋友得知我在东京，约我见面。他是个年轻的话剧导演，这次来东京是参加一个戏剧的交流项目，为期两个月。

约在葛西海滨公园。我们坐在海边的草坪上，他带了本《红楼梦》，我带了本《斯通纳》，两人相对看书，像是到了异国他乡上自习。夕阳西下时，海变得很美，少男少女跑步的剪影像来自日剧的片尾曲。

朋友说自己改变了生活方式，断绝了互联网，不用微博、微信等社交工具，只每日检查邮件和短信沟通事务。这样生活了一段时间，发觉自己能读大部头，且越来越能体会到经典的好。我说自己好像也丧失了在社交网络上表达自己的冲动。

产生了一个反乌托邦小说的想法：对社交网络的痴迷，并不是窥阴癖——对他人隐私的好奇，而是"请不要让我消失"的焦虑。在社交网络的世界里，如果在任何平台上都不出现，几个月后，是否就"被消失"了呢？

设计一个社会。一个人的现实生活不再属于自己，所有的消费、生活必需品都依托于一个个相互关联的链接，最后统一到一个账号上。一个人的言论、想法、生活轨迹必须定期曝光在社交网络上，接受众人的审阅和审查。如果不愿意在社交网络上暴露自己，就会"被消失"，永远地丧失了发声的机会，消失于表达的深渊中。

在太阳落山前看完了《斯通纳》，觉得是一部被过誉的小说。小说讲一个平淡的大学文学系教授威廉·斯通纳平淡的一生。虽然外部世界经历了"一战"，但斯通纳始终把自己困在象牙塔里，困在那比起战争来说微不足道的知识搭建起的保护层里。

我的很多朋友看了《斯通纳》觉得好，因为在其中看到了自己。我想这大概是文科生才能体会到的软弱。我们害怕外界世界——无论是战火纷飞还是满地黄金，因为我们无用。我们宁愿把自己困在知识的小小牢房里，一旦走出去，就会丧失自己身上的美德，而这美德是唯一支撑自己活下去的心力来源。

就像小说中斯通纳教授的朋友所说："即便像我们这样不堪，

也比外面那些人强,满身污秽,比外面那些世界的浑蛋强。我们不做坏事,我们心口一致,我们为此得到报偿,这是一种天然美德的胜利,或者快他妈的接近了吧。"

可同样的题材,我却更喜欢纳博科夫写的《普宁》,小说内容相似,讲一个在美国教书的俄罗斯教授普宁的一生,他和斯通纳一样学术平庸,婚姻失败。

《普宁》让我的共鸣更甚,因为俄罗斯的知识分子和中国的知识分子更像。中国"知识分子"借用日文的"知识(chishiki)",和西方的"intellectual"并不一样。自古中国的知识分子学习是为了读圣贤书,读圣贤书是为了考学,考学是为了做官,做官才可以改变自己的家族以及改变社会。不同于西方满足于专业知识的知识分子,中国的知识分子更像是"契诃夫式的俄罗斯知识分子"。

纳博科夫笔下契诃夫式的知识分子是这样的一类人:他集高贵情操和软弱无能于一身,这种情操到达人类所能及的最深层次,而同时他又无力将其理想与原则付诸行动,简直无能到了近乎荒谬的地步。他投身于道德的美善、人民的幸福、宇宙的安宁,但个人生活上却做不出任何有用的事情。他在模糊的乌托邦梦想中耗费着自己乡村的生命。他明知什么是好的,什么是值得追求的,但同时又越来越陷入平凡的泥淖。

　　我们不是威廉·斯通纳,"斯通纳们"生活在洁白的象牙塔中,把世界拒之门外,并且企图阻止一切属于这个世界的灰尘、细菌进来;相反地,我们一直生活在鸽灰色的天空下、凄黯的风景里、泥泞的道路旁,我们并不排斥这个世界,而是日复一日地筹划建造一个我们不能建造的世界。

2016.1.17

　　一晚上看完了阎连科老师发给我的新小说《日熄》。

　　小说讲的是一个村庄的故事。"我"叫作念念，是一个孩子。我的舅舅是一个经营火葬场的老板。我的爹爹帮我的舅舅干活：谁家死了人，又不愿意火葬，爹就会向舅舅告密，舅舅把尸体拉来烧了。

　　后来，奶奶死了，人们都盼着爹也把奶给烧了。于是，爹就在众人的注视下，一步步扛着奶去了火葬场，"人在厅里抽烟等着奶的骨灰就像等着秋天迟长晚熟的粮食一样"。爹看到奶被烧了之后，剩下了很多尸油——舅舅把这些尸油都卖给了饭店。爹舍不得奶，把尸油都买了下来。

　　小说的主要故事发生在一个晚上。这一晚，村里发生了一件大事：所有人都接二连三陷入了梦游中，人们在半梦半醒中做出一系列可怖的事情来，比如幻想自己是太平天国的起义军，开始一系列的滥杀。漫长的杀戮，血流成河。而这一天恰好是日食，太阳出不来，人们也醒不过来。为了结束这样的失控局面，爹把他从舅舅那里买的一山洞的尸油全部烧掉，漫山遍野都是火光，亮如白昼，终于结束了黑暗。

小说有点像葡萄牙作家萨拉马戈的《失明症漫记》。人群被传染了，接二连三地失明，人性不被监督，就不断探索和实践人性之恶的极限。

看完之后，我给阎老师提的建议是后半部分群体的恶实在太多了，看得让人透不过气，同时又觉得不真实，仿佛那只是乌压压的背景。

相较之下，其实更希望看到意外的善——或者说，善本身并不意外，因为它也是人的本能，只是善渐渐自我怀疑了，动摇了，主动沉默了，甚至被摧毁了。

比如，在一个全是瞎子的国度，独眼龙是很痛苦的，因为他能看到别人仗着黑暗的不堪和龌龊。于是独眼龙选择戳瞎自己。

这样的力量与回响比重复的恶来得更有冲击力。

2016.1.24 （星期日）

去大阪找前同事 D 小姐。D 小姐是我过去在杂志社的同事，她在广州总部，而我在北京办公，见面并不多，去年从同事口中得知她临近 30 岁时放弃在国内舒服安稳的日子，来到日本独自生活。

D 小姐接我吃晚饭，看着夜晚的大阪，问我：“是不是特别像广州？”

比起东京，大阪要显得随意很多。东京的地铁上多是穿正装沉默的上班族，大阪的地铁里则有很多大妈表情夸张地抱怨着自己的媳妇。大阪的街道上很多烟头，略显破败的小商店很有市民气。据说居住在关西的人出差去东京，无论如何都要坐最后一班新干线回来，因为觉得东京压抑得像穿西装的丧尸组成的世界，一定要回到人的世界才安心。

D 小姐请我吃全大阪最好吃的鳗鱼饭。东京的鳗鱼饭是蒸过之后再烤，入口时感觉有些柴；大阪的鳗鱼饭是直接刷酱烤，口感肥腻。我更喜欢大阪的鳗鱼饭肥厚的口感。

我问起她在日本的生活。她少女时期就爱看日剧和漫画，两年前才下决心学日语，学了一年半，毅然放弃了国内的生活，来到日本。因为她一直喜欢日本土生土长的历史作家司马辽太郎，所以来到大阪生活。

D 小姐现在帮一家中日贸易公司做些零散工作，其余时间就自己搭车去各地旅行，避开热门观光地，只在最好的季节去能看到最美风景的地方。这就是一期一会，相遇即告别。

她说，在 30 岁的时候抛下国内的一切来日本生活是她做过最正确的决定。大多数时候，我都觉得人们的这种说法是种自我保护，因为生活的沉没成本太高——那些逝去的时间、精力的投入、对别的人生选择的牺牲都无法挽救，所以只能给自己的人生选择寻找合理化的解释。但 D 小姐说的话我相信，相信她不是自我辩护。

我问起她的感情状况。她说现在仍然是单身，来日本之后有过一两次暗恋都无疾而终。她说还是想试试和日本男生恋爱，

"但是日本人其实很排外和保守,很难和外国女人谈恋爱"。她叹了一口气。

30多岁的D小姐仍然爱看漫画和日剧,有着一颗少女心。可以用天真去评价她吗?并不是。天真的人很容易世故,某种程度上,天真和世故并不是矛盾的特质,而往往出现在一个人身上的不同阶段。天真的人不懂得珍惜这个特质,而是早早地把它当作成长必然蜕掉的皮,轻率地抛弃在一边。抑或像小孩子,走一路采了一路的花,采花时也显得兴致勃勃,充满乐趣,到了路的尽头却毫不在意地把那一捧花向上一撒,扔掉,迅速变得世故。

而成年后还小心翼翼地呵护着自己天真一面的人,本质则是复杂的——至少是见过复杂,才知道天真有多可贵。

2016.2.18 （星期四）

今天去表参道的 ASICS（亚瑟士，日本运动品牌）买了跑鞋和运动服，晚上去住所附近的皇居跑了步。

绕着皇居跑步一圈刚好 5 公里，沿路有专门为跑者提供饮用水和休息的地方，是东京的跑步圣地，据说是村上春树爱跑步的地方。

跑步的时候我刻意留意四周，看看是否能偶遇村上春树，结果发现大部分男的都和村上春树差不多，矮小结实的身体，简素规律、神情肃穆，我就像是在和一堆村上春树的克隆者同时跑。跑者白天是坐地铁的上班族，穿着米色和黑色的商务装，地铁门一开再一关，他们的疲惫和麻木又加深了一层。到了晚上，他们换上专业的跑步服，庞大的上百人的群体呼吸在同样的频率之下，在窄窄的跑道上连绵不绝，仪式感就像是参加弥撒。

波德里亚非常刻薄地这样形容跑者："我们可以拦住一匹发狂的马，却拦不住一个正在慢跑的人。唇上泛着白沫，全神贯注于内心的倒计时，全神贯注于他进入反常状态的那一刻，此刻千万不要拦住他问时间，他会把你吃掉。"

这种沉醉是宗教性的。跑步的确具有宗教的一些特征：人群聚众，大脑中分泌出一种宗教性的欢愉。因为聚众，这种欢愉又变得更为强烈。

这两年跑步也成了中国中产的新宗教。

可是说实话，我很害怕在朋友圈看到人晒长跑之后的照片，直视镜头的脸面色潮红，全身汗湿，裹在紧身衣里。我朋友圈有一个朋友是超级马拉松（一种在野外环境里长达100公里，甚至300公里的马拉松）的跑者，我每次看他的朋友圈都很紧张，晒伤的身体，起泡的双脚，皮开肉绽的肩膀。

我是青春期受张爱玲影响的文艺女青年，对于文明世界有着畸形的向往，贪图享乐，喜欢吃奶油蛋糕，喜欢包裹在华丽的袍子里——即使袍子上长满了虱子，也胜过青筋毕露的身体。

我仔细想了想，我不敢看人长跑后的照片，和张爱玲抱着牛奶瓶面无表情地穿过病人呻吟的病房一样，是对受苦的一种回避。

看到大汗淋漓的身体，我并不觉得性感，只觉得好惨。

这或许可以解释为什么中产爱跑步，因为跑步是一种苦修。而苦修，是对过剩的回应。

食物过剩，糖分过剩，卡路里过剩。而互联网创业的热潮中，很多人的很多努力都是为了让别人更懒一些，人和食物之间的距离被缩短了，食指一动，就等着外卖小哥敲门。

我们的社会充盈而饱和，由一个肥胖者的社会进入了一个厌食症的社会。

中国最先胖起来的一代诞生于饥荒之后，饥饿的记忆告诉他们的大脑要不断储存热量，因此对于食物有着穷凶极恶的热情。肥胖者说："我什么都缺，所以我什么都吃。"而新兴的城市中产说："我什么都不缺，所以我什么都不吃。"

戒糖，戒油，戒一切因为过于幸福而让灵魂出窍的食物。在跑步这个近乎受苦的单调运动中，把过剩的能量呕吐出来，中产再次控制了自己的身体。

受苦对于中产是陌生的身体经验，对于富人阶层更是。跑马拉松的潘石屹和登珠峰的王石是中产看齐的对象。我相信潘石屹和王石并不是为了作秀，或者为了征服的虚荣，而是真的享受这种对于他们的日常生活来说遥远而陌生的身体痛苦。痛苦放大了人对身体的觉知,痛苦让人感觉到自己正在活着。

现代科技的发展与其说"解放了身体",倒不如说"剥离了身体"。工具代替了身体的功能,中产要借助马拉松找回自己的身体。所以,你很难想象一个重体力工作者,或是一个快递小哥在结束了一天的工作之后决定在城市公园跑个步。

在缺乏宗教的社会里,过剩的中产需要跑步这种宗教般的欢愉来缓解自己的焦虑和压力。中产的压力是方方面面的,一方面是日常的琐碎,刘震云20年前写的《一地鸡毛》依然没有被扫走,妻子、孩子、保姆、单位的是是非非确凿地存在于生活的每一天;另一方面是"均质"的焦虑,是每个生活在这片土地上的人共享的,雾霾和地沟油,诈骗和毒奶粉,房价和养老,股票和医疗……它们既抽象又具体,如乌云般遥遥而至,压在每一个中产的头顶上。

跑步所带来的愉悦成为缓解这种焦虑最好的方式。关掉糟心的新闻,远离唠叨的妻子和讨厌的同事,把孩子的吵闹遗留在身后,关上房门,换上跑鞋,戴上耳机,美妙的协奏曲取代了嘈杂与抱怨,肉身与灵魂瞬间进入真空。

"运动让人产生愉悦"这一点似乎有科学的解释。在几年前一本风靡全世界的畅销书《运动改造大脑》中,作者写到人的身体里有一个内在的止痛分子自机制，效果就像吗啡。内啡肽减轻身体上的疼痛，同时在心理上产生快感。

在剧烈运动的时候，内啡肽能够镇静大脑并且缓解肌肉疼痛。作者举了一个例子，一个马拉松选手在参加波士顿马拉松比赛时，在起跑线附近被塑料袋绊倒，膝盖着地摔在人行道上，他爬起来继续跑，直到接近 29 公里时，肿胀的膝盖罢工，大腿骨折了。而在此之前他根本没有注意到，这是缘于内啡肽的麻痹和镇定作用。

后来，也有科学家指出长跑者的内啡肽是无法进入大脑的。无论如何，当一个人心情低落时，他大脑里产生"运动会让我心情好"的自我暗示，当他的双脚踏实而轻快地落在地面上，不管那种化学物质是否瞬间在他的大脑中绽放，跑者都认为它奏效了。

所有运动都能让人产生愉悦，比如打篮球、踢足球、跳广场舞。为什么中产会选择长跑呢？

宣称"跑步是种宗教"的中产没有资格嘲笑跳广场舞的大妈。除了装备不如跑者，背景音乐落后了 20 年，其实两者没有太大区别：同样欢愉，同样缺乏对抗性，同样切割城市空间，参与者同样热情地邀请你加入他们的队伍，像传教士一样伸出双手。

可鄙视链却依然真实地存在着，最大的原因就在于：广场舞不够中产。中产需要自己小群体的阶层认同。

当中产刚刚开始在俄国流行时，纳博科夫是这样刻薄他们的："他们被两种相抵触的渴望煎熬着：一方面他想和所有人一样，用这个用那个，因为成千上万的人都在这么做；另一方面他又渴望加入某个特殊团体，某个组织、俱乐部，成为某个宾馆的贵宾或者远洋航班的乘客，然后因得知某集团的总裁或欧洲的某伯爵坐在自己身边而欢欣雀跃。"

跑步不仅仅时髦，而且像是某种成功人士的标配。中国的企业家和企业高层们为了显示自己的追求，纷纷把马拉松的奖牌当作自己的勋章。而中产选择跑步而非广场舞来锻炼身体，显然是因为跑步更像是身份的象征。

乐观的人会把跑步的中产看作阶级自我意识的觉醒。

中产在财富以外，开始关注健康，并且以此为起点，关注一些大于自身的东西，比如大气环境、食品安全、医疗健康、公众权利、财富安全。跑步既是一种焦虑下的反应，也是一种自救。而跑者彼此抱团，更让人有一个政治群体崛起的集结号已经吹响的想象。

然而真的是这样吗？

日本以及西方的上班族开始追求一种戒糖、长跑、岁月静好、去政治化的生活方式，是因为某种社会规则已经成为共识。

而在中国，这种规则与底线并未形成，当奶粉出现问题，中产开始寻找代购；当疫苗出现问题，中产去香港打疫苗；当空气出现问题，中产戴上口罩继续长跑。

很多中产并不认为自己有推动社会变革的责任，而仅仅是想通过长跑和秋葵把自己修炼得百毒不侵，水木清明。

然而，我们并没有办法指责中产的犬儒和自私。他们仅仅是无力，在无力与无力的每一天交替的缝隙中，大脑借助运动产生内啡肽，那半真半假的愉悦与沉醉，便成了生活中最大的安慰。

2016.2.19

又在皇居跑了步，意识到这是我最长时间在一个不同的社会生活的经历，有一瞬间，我几乎觉得可以永远这样跑下去，跑下去，黑夜变得越来越短，生命中的黑暗也像影子一样逐渐褪去。跑下去，跑进春天里，跑进和煦的阳光里。

回到家，在微信上看到有人说华东师范大学政治系的江绪林老师死了。震惊，似乎几天前还看到他在微博上写自己的近况。

上微博，看到了他的遗书。遗书里，他非常体面地交代自己的后事："宿舍抽屉内约 1 万港币，600 美元，钱包里的 4400 元，供清理费用，虽未必够……"还有难以控制的恐惧挣扎："上主啊，愿你开启希望之门。我恐惧，我要喝点白酒。"

他在微博上发完自己的遗言之后，选择悬梁自尽，几乎瞬间死亡。

一条条回看他的微博，看到他一直在为自己的赴死做准备，比如去香港要不要跳海等。三个月前，江老师在微博上留下了一段话："常常萦绕脑海的是死亡：一想到他者来清扫我的尸身，以之为污染的垃圾，一想到给别人带来的令人厌烦的料理负担，一想到那丑陋的不再自主的尸首暴露在审查的冷酷目光下，我就心悸。"

我没有见过江老师，只在微博上和他相互关注。江绪林老师是我认为生活得最真诚和纯粹的人，他会因为自己贪图美食而自责，也会因为浪费一块肥皂而自责。他一直努力小心翼翼、柔和、正直、忠于自己地活着。

可以想象，他死后一定会有很多的人跳出来科普"抑郁症"，号召抑郁症患者"多吃药"。但以我目之所及的经验来看，没有人的抑郁症能够逃脱社会的影响。比如我之前也常常觉得压抑得喘不过气，前两天像狗一样在海滨草坪上躺了一躺，晒了晒太阳，就立刻开始赞美生活。

江绪林老师的死，并不是因为无法做好自己的情绪管理，而是因为无力捍卫社会美好的失望。

如果无法爱自己生活的世道，也无法改变它的话，该如何活着？

难道要为了恨它而活着？

恨它、勉强自己爱它、顺从它、奉承它、讽刺它，它都无视你而狞笑膨胀着。

奥登有首我喜欢的诗："在正直的人群中正直／在污浊中污浊／如果可能／须以羸弱之身／在钝痛中承受／人类所有的苦难。"

江老师能够在正直中正直，却无法在污浊中污浊，无计可施，只有去死。我觉得悲哀，却是无话可说的悲哀，因为他并没有别的选择。我如同看着一个人坠落深渊，却无法施以援手。

深夜，阎连科老师给我发了微信，没头没尾，只说："我们苟活的理由又是什么呢？"

江绪林老师的自杀同样让他震撼。我苟活的理由是什么呢？大概我依然卑微地渴望爱和被爱吧。

2016.2.20 （星期六）

一夜未睡，依然无法从江老师的死讯中恢复。

想起之前看过在美国读书的朋友 E 的一段话："从来没有像这一刻一样，想彻底退回到冬日的阳光、睿智的交谈、忙碌的阅读、甜腻的情话中去。有那么一瞬间有种幻觉，墙像荧幕一样，只要不盯着看，里边发生的一切就和真实的生活无关。"

我现在在日本参加交流，之前的怨懑之气造成的神经官能症消失了，光怪陆离的新闻，糟糕的空气，在小官僚散发霉味的接待室里累积的怨气，全部消失了。

但我能否像一个自由社会的人那样生活？能否融入我在国外的生活？

不，顶多算"流亡者景观"罢了。虽然进入了一个不一样的社会,但是在这个不一样的自由社会中,身为"流亡者",我唯一的财富就是墙内生活所造成的扭曲。自由社会对我的好奇,就像帝国主义时代的野蛮部落展览。

就像过年期间,很多媒体人写了返乡的文章,以城市人的视角去看乡村的粗俗和愚昧,并且故作惊讶大惊小怪地展示出来,仿佛看到了停留在史前的社会。

自由社会的人——比如我接触到的日本媒体人和教授,永远无法理解我们的痛与伤,仅仅是报以礼貌的同情和猎奇,同情我生长的迷人而恐怖的异域。

2016.2.21 （星期日）

　　和 S 先生约了晚饭。S 先生在日本的媒体工作，没有在中国长时间待过，但是中文说得不坏。在表参道的一家西餐厅吃饭，餐厅环境好，牛肉来自于吃葡萄长大的牛，味道很特别，我吃了很多。

　　聊到了恋爱，我说自己羡慕有人能够明确地判断自己是否喜欢一个人。这样简单的事情对我来说却很困难，因为"喜欢"这件事取决于太多因素：上一段感情受到的伤害、贫穷、孤独感、自卑、文化差异带来突兀的性感……张爱玲《心经》里早熟而贫穷的少女绫卿说："某种程度上，我是人尽可夫的。"

　　即便是纯粹的喜欢，很大程度也是因为看到了对方幽暗的和自己相似的优点——因为和自己相似，所以能敏锐捕捉到，这又有了自恋的嫌疑。

吃完饭，S先生送我回家。我的住处前面是一条很安静的街道，街道很宽，旁边是政府机关，白天时候到处是西装革履的公务员，晚上就一个人也没有。马路上不知道撒了什么，亮晶晶的，如童话。

S先生问我："来日本已经两个月了，感觉怎么样？"

我说："对我而言，是一个很漫长的假期。没有压力，没有任务，也没有目标。"

——是一种丧失了真实感的生活。我住的房间清洁人员每天上午11点会来打扫，为了不让她觉得我无所事事，每天11点前我就会出门，很多时候是无处可去的。本来这是很好的可以"思考人生"的阶段，但我也知道在异国的人生是短暂而不真实的，思考也是一种徒劳。于是彻底放松，放松到了麻木的程度。

晚上风很大，把云彩吹开了一些，露出亮白的月亮，很高很圆，晶莹可爱。S先生突然放慢了步伐，困扰地自言自语："怎么办呢……"不知是在感慨什么。

2016.2.25 （星期四）

去了名古屋，名古屋经济大学的 G 教授来接待我。G 教授去年翻译了我和阎连科老师合著的《两代人的十二月》，我们曾经在北京见过几面，笑盈盈的日本人，喜欢喝酒，尤其爱喝白酒。

G 教授带来了他的两个朋友。一个是中日混血的老太太，60 岁上下，20 世纪 70 年代来的日本，最早在日本的政府机关工作，现在重新开始读博士，研究的是 60 年代中国的样板戏。她像是掉进了时间的洞里，暮年穿越回了自己离开中国前的少女时光。老太太肤色雪白，身量不高，涂着红唇，年轻时一定是个天真的大美人，现在也显得非常天真。她认真看了我的小说，还总结了很多问题，像是刚上学的好学生。

还有一个中国女人，看起来大概不到 40 岁——实际年龄应该大一些。Y老师，戴着眼镜，用着最古老的非智能手机，不用社交网络，很像一个标准的古板女教授。

让我吃惊的是，中午吃饭时提到婚姻，Y老师说不赞成婚姻，"像我这样就很好"。她似乎暗示自己是单身。在场的人都有些窘，毕竟她已经不年轻了。

过了一会儿，我小心翼翼地问她是否是单身。她又说："我是结婚的。因为一张纸很重要，但是……"但是什么？是开放式的婚姻，分居，还是形婚？太多暧昧。

Y老师指着在座的日本男人，说："结婚有什么好？他们的婚姻都是无性的。"现场越发窘了。

记得原来看过一篇报道，说日本一家大型安全套生产商公布的调查显示，50%的日本已婚者几乎没有夫妻生活。按照厚生劳动省（日本负责医疗卫生和社会保障的主要部门）的定义，没有性生活或每月性生活少于一次的夫妻，即为无性夫妻。

一个更匪夷所思的新闻：根据官方统计，2005年到2015年间，日本"死后离婚"的数量增加了1000多件。"死后离婚"的意思是丈夫死后，妻子向政府提交"婚姻家族关系终结申请"，要求和丈夫婆家断了联系，死后也不同穴。一旦女方提出这样的申请，男方家属无权拒绝。

妻子在丈夫生前为了生活费和抚养费不得不维持婚姻，早上和晚上准备饭菜，把马桶擦得一尘不染，死后终于忍受不了和丈夫拥挤在同一个空间，寻求解脱。

我的一个日本朋友告诉我，他什么时候觉得太太不爱他了，"我家睡的是榻榻米，所有人的被子都一模一样。有一次，我不小心把自己和太太的被子拿反了，到了晚上，发现她悄悄把被子换了回来。她连我的气味都难以忍受"。

——像是渡边淳一小说的开头。看着疲惫的丈夫，妻子还没说出口的抱怨、说了一半的不满、尚无结果的争执，终于都滞留在半空中。沉默持续到了一定的程度，两个人都认为谈话结束了，于是不再开口，开口让人虚无。

我问朋友他的太太为什么不选择离婚，他说离了婚她就无法养活自己。

Y 老师说，如果问大部分日本小女孩长大之后的梦想是什么，她们依然会说"当家庭主妇"——就像我们小时候每个人的梦想都是当科学家一样。

当婚姻的爱情面向被掏空，它就不过是一条退路。波伏娃曾说："男人的极大幸运在于，他不论在成年还是在小时候，必须踏上一条极为艰苦的道路，不过这是一条最可靠的道路；女人的不幸则在于被几乎不可抗拒的诱惑包围着,她不被要求奋发向上,只被鼓励滑下去到达极乐。当她发觉自己被海市蜃楼愚弄时,已经为时太晚,她的力量在失败的冒险中已被耗尽。"

下午,老师们带我去看了附近的田县神社,那是一个崇拜男根的神社。主殿里供奉着巨大的木制男根,光滑而细致,庭院里还有很多林立的小石男根,像小树林,也像小坟,看起来孤苦伶仃。

我雀跃地与这些男根合照,老师们都笑话我。

G教授说再过几个月田县神社有丰年祭,邀请我来看。丰年祭的时候会更换主殿的男根,那是用250年树龄的柏木做成的,长2.5米,粗60厘米,重280公斤,由年满42岁的男子抬到主殿换上。届时,神社周边的小吃摊上会摆着各种男根形状的小吃,男女老少开心地举着食物拍照。

总会听到人说日本的性文化奇怪,这种奇怪大概是因为原始,在后现代的生活中依然保持着一种前现代——甚至是史前的文化传统。

日本历史上第一部文字典籍《古事记》这样描述日本国土的形成:

天神命令男神伊耶那岐命和他的妹妹女神伊耶那美命去造日

本这个漂浮着的国土,并且给了他们一根天沼矛。两个神站在连接天和地的天浮桥之上,杵下长矛,不停搅拌着海水,从矛尖上滴下的海盐很快堆积成了一座岛。这岛就是淤能碁吕岛。

两个天神降临到这个岛上,在岛上立起一根天之御柱。伊耶那岐命问他的妹妹:"你的身子是如何长成的?"

她说:"我的身子都已长成,但有一处未合。"

伊耶那岐命说:"我的身子都已经长成,但有一处多余。我用自己多余之处来填塞你的未合之处,如何?"

两人约定绕着天之御柱奔跑,一个从左,一个从右。相遇的时候行房事。等两人依照约定相遇时,他们像初次见面那样客套。

伊耶那美命说:"啊!真是一个好男子!"

伊耶那岐命说:"啊!真是一个好女子!"

伊耶那岐命却说:"女的先开口,恐怕不吉利。"

但两人还是忍不住交媾起来,不久生下了一个残疾儿,让水冲走了。

——古老的神话里总有一种荒诞的残酷。漫不经心地把人处死,毫无理由地做起爱来,随心所欲地处理残疾人。

无论是搅动海水的天沼矛还是天之御柱都有强烈的性意味,搅动海水的动作也是性行为的象征。

日本民族神话的起源就与性有关，因此世俗精神就在性上无所忌讳。古代的丰年祭是一年一度的性狂欢。飞鸟时代的丰年祭有一种表演：一个人戴着"天狗"面具，另一人戴着少女形象的面具，天狗把少女推倒，然后开始表演"做爱秀"，其中还有一些插秧的动作，预示着来年的丰收。

中国古代也有不失开放的习俗，但都似乎有所顾忌。据说山东曹县有一种特别的古俗，一些到了适婚年龄的男女，经常在除夕之夜出走。因为那时爆竹炮仗、锣鼓喧天，诸神被震得目眩神晕，看不见痴男怨女私订终身。

可日本的习俗却根本不在乎神的审视和指责。江户时期的大文学家井原西鹤的《好色一代男》里介绍了一种"杂鱼寝"：每年的一天，某个乡村神社管辖范围内的所有男女老少都要集中到神社的大殿上一起睡，老百姓不许不来，一晚上做什么都可以，直到第二天听到鸡鸣才能离开。

晚上吃饭，在名古屋一家做鸡翅很有名的店。非常好吃，喝了很多酒，有烧了鱼皮的清酒、highball（高杯酒，一种鸡尾酒）、啤酒……大家都很高兴。

Y 老师一直说在座的两位男性都喜欢我，并且暗示那种喜欢中有情欲的色彩："谁不喜欢肉体年轻的小姑娘？"

在座的男士恐怕觉得否认显得对我没有礼貌，因此就如同默认一样。我如坐针毡。

2016.2.28 （星期日）

之前在国内就认识的媒体人 Y 先生带我去看了三岛由纪夫文学馆。

文学馆位于富士山脚下的山中湖。早上的天气非常好，能够清楚地看见富士山。山中有雪，有一片寂静的树海。三岛由纪夫的纪念馆就在一片下雪的森林中，黄色的三层建筑，每一层都不大。

Y 先生提前向纪念馆申请了看三岛由纪夫的原稿，工作人员提供了《潮骚》的原稿复印件和《潮骚》的后记原稿。

只能读懂大概。在后记里，三岛说要写一部"牧歌"式的作品，创造一部违反道德的小说，一部"作者不在场"的小说。这小说是三岛由纪夫的世外桃源。

我看了三岛由纪夫的原稿，印象最深刻的是他的稿件非常整齐，几乎没有修改。后来参观了博物馆展厅，才知道他在稿纸上写作之前要写很多的笔记——似乎鲍勃·迪伦也是如此，写一首歌需要做 50 页的笔记。最震惊的是看画家爱德华·霍普的笔记，密密麻麻全是对光线的计算、色彩细微的调配，那种寂寥竟然是这么精心雕琢出来的。

纪念馆里再现了三岛由纪夫的书房，很整洁。三岛由纪夫似乎很喜欢动物的元素，有一个鳄鱼的摆件，还有一个黑蜥蜴的镇纸。

看到三岛由纪夫从小到大的照片。他在童年时，过于端正的脸上就是比同龄人成熟得多的表情，直勾勾地看着镜头。他的成绩很好，在东京帝国大学（今东京大学）的成绩异常优异，毕业后就进入大藏省（当时日本的中央政府财政机关）工作，他那时的照片似乎是轻微的抑郁，反抗式地瞪着镜头。

他开始写作之后的照片——尤其是和艺术家交往之后的照片里，人松弛多了，像是一下子获得了解放，无论是喝酒唱歌的，还是扮成女装演戏的，看起来都兴奋地放肆。唯有和他太太在一起拍照时，又恢复了大藏省公务员般的表情。

看完三岛由纪夫的纪念馆之后，Y 先生开车带我去据说看富士山风景最好的一家餐厅吃饭——吃牛肉火锅的餐厅，牛肉堆成了富士山的形状。

Y 先生说富士山有 80% 的概率在最近 30 年内喷发,这家餐厅一定会第一个被火山灰淹没。我再看柜台后面胖胖的老板,有种异样的感觉,觉得他才叫"向死而生"。

吃完饭,Y 先生带我去最近的地方看富士山。真是让人惊讶的角度,不同于往日在明信片和图画里看到的富士山,它的背部积雪没有那么多,露出了黑色的纹路,如同粗硬的筋骨,像是板下了脸,露出冷硬的本来面目。我有些无措,像是去热情的人家做客,宾客尽欢,而我不小心看到了主人在客人走后厌恶和冷漠的脸。

2016.3.8 _{（星期二）}

　　基金会为我组织了一次和作家西木正明先生的对谈。题目是西木先生定的，叫《何为文学——在事实和真实之间》。

　　西木先生是日本著名的小说家，他写的小说其实是介乎虚构和非虚构之间。看了他得直木奖的小说《冰冻的眼》，讲的是二战时，男主角因为虐囚而被判处死刑。他的恋人为了帮助他，向著名的美裔棒球手求情。棒球手看似拒绝了她，实际上一直试图帮助她的故事。

　　有意思的部分大概在于讲故事的方式，有点像罗生门——由不同的人，一层一层剥开洋葱皮，最后露出真相。

　　西木先生是 1940 年出生的，今年已经 76 岁，但是看起来就 50 岁上下，依然潇洒、敏锐、聪明。对谈过程中对我也非常友善，一直把话题抛向我，试图让观众喜欢我。

这不是我第一次面对外国读者，其实每次都有些挥之不去的倦意——我深知说哪些话会引起读者的哗然与笑声，比如"7岁写作，9岁出书"这些我讲腻了的故事。但是在我写出好的作品之前，也只能靠这些故事来引起读者对我的兴趣，和表演吞火球、钻火圈没什么区别。

每次公开讲自己的写作故事就会自厌，觉得自己是杂技演员，通过炫耀式的扭曲来博得满堂彩。

想起这两年参加的文学对谈也不少，有新内容的讲话越来越少。

一个作家是如何死亡的？从重复自己开始死亡。

对谈效果不错，基金会的人觉得很满意。

晚上，跟西木先生和其他在日本笔会工作的作家、学者一起去吃饭——吃秋田县的特产，因为西木先生是秋田人。秋田是盛产美女的地方，因为日照时间短，美女皮肤白嫩。餐厅的墙上贴着秋田美女佐佐木希子的照片。吃饭时还有表演，餐厅的服务人员戴着扮鬼的面具，穿着稻草衣冲向食客，隔壁桌的外国小孩被吓哭了。

笔会的作家对中国作家很熟悉，聊起莫言、阎连科、刘震云等都显得如数家珍。聊起来，发现日本作家其实也是很精于人情世故且刻薄的——我们总是习惯性地把外国人想天真了。

对谈时的演讲稿：

何为文学——在事实和真实之间

我今天非常荣幸，能够参与国际交流基金安排的这次和西木正明先生的对谈。在对谈前，我看了西木先生的小说《冰冻的眼》。这部小说出版的时间是1988年。那一年，我父母亲刚刚结婚，我还没有出生。小说写的是一个我从未存在过的世界，但阅读的时候，我并没有觉得有很大的障碍，反而觉得自己像女主人公的孙女一样，一点点沿着回忆的线索，像是剥洋葱一样，慢慢露出一个感人的故事的真相，让我非常感动。

这样奇妙的小说叙述，也希望在接下来的对谈中和西木先生交流。

首先，我想向在座的各位介绍一下我自己。我出生于1989年，在中国湖北的一个小城市。和大多数中国父母一样，我的母亲希望这个家庭唯一的女儿能够与众不同，而不是重复她的命运。所以在一个夏日的晚上，我母亲对我说："中国法律规定，每个中国小学生在小学毕业之前，必须出版一本书，否则就会被警察抓走。"

而我的父亲是一名警察，他也顺着我母亲的话说："是这样的。如果没有出版就会被抓进监狱。"说完，他拿出随身带着的手铐，假装扣在我的手上。我吓得大哭起来，在泪水中，我开始写自己的第一篇文章，走上了写作的道路。那一年我6岁半，正好是20年前。

这次对谈的主题是"在事实和真实之间"。看到这个题目，我开始回忆自己小时候的写作。我所写的，到底是真实，还是事实？

童年的时候，我对写作的认识非常简单：没有分别地写下我看到的一切。所以那时候我全是记叙自己身边的事情，我的同学，我的父母。因为我个子很矮，我能看到的全是人们膝盖以下的世界，我就写我视野里的那些膝盖和鞋子。

非常奇怪的事情发生了。我写的全部是事实，书出版之后，大人们却认为我写的并不真实。比如，小学的时候我写同班的一个女生抱着我，对我唱歌："我要和你睡觉。"我写我对自己产生了很大的怀疑：啊！我是同性恋吗？大人读到之后，觉得非常吃惊，甚至愤怒。他们想象中的孩子是纯洁的、无知的、没有性别的，怎么可能会那样？

仅仅是因为和自己的想象不一样，人们便拒绝相信这种真实。因为事实超越了自己的理解，人们就认为是不可信的。

童年开始写作的我，就这样被认定是一个思想肮脏的孩子，这是我第一次感受到作为作家的艰难。

我童年的大部分写作，都是在写自己和周围人的生活。虽然周围人都把我叫作"少女作家"，但是我很清楚地知道，我并不是一个作家，因为好的作家必须面对他所在的时代，正面直视一个庞大的世界，而不是背过脸去，仅仅看着自己的回忆。

所以，18 岁那一年，我写了一部长的散文，叫作《审判童年》，来和自己过去的写作、过去的生活告别。我其实是一个生活顺遂的孩子，没有经历过挫折。家长们都让他们的孩子向我学习。但当我开始回忆，回忆到的却是很多恐惧；当我审判，审判到的却是很多大人对孩子的不公平。

钢琴家鲁宾司坦的回忆录写到自己的童年，他会忽然惊叫起来："不！我不要写！"赶紧从记忆中逃出来。我却要把自己关回童年的监狱，诚实地写出我所经历的真实和事实。

在写完《审判童年》之后，我觉得非常轻松，我终于可以和自己告别了。

2008 年，我到北京上大学。那一年举办北京奥运会，北京的天空前所未有的蓝，中国前所未有的骄傲。我所在的大学是中国最好的大学，也是中国走出国家领导人最多的学校。我周围的同学，相信自己是最好的国家里最优秀的年轻人，相信自己生活在最好的时代，相信自己拥有全世界。

那时，我发现了自己与周围人的巨大不同。对于他们乐观的事情，我很悲观；对于他们相信的事情，我很怀疑；他们听到的赞美和掌声，我听不到；他们听不到的苦难和哭泣，我能听到。

他们生活在光明和希望中，我生活在黑暗和怀疑中——这或许是我从小就写作养成的习惯，当所有人看到的是月亮的光明，我更愿意钻到月亮的背后，去看它凸凹不平的表面。因为我一直认为，月亮的光明是幻觉，丑陋的表面才是真实。

我从去年开始从事小说的创作。对于一个新的小说家来说，我并不算老。对于一个已经写作了 20 年的作家来说，这个开始却来得很晚。

我生活在变化多端的中国，我并没有年轻得足以相信它，也没有年老得有资格为它辩护。在中国写小说，探索"真实和事实"的中间地带，是一件非常有挑战性的工作。

一方面，中国的快速变化已经超过了作家的想象力。中国的现实和作家的想象力同时赛跑，赢的是中国的现实，输的是作家的

我最不喜欢拍照时被摄影师指挥：「露出沉思的表情。」一是因为被强迫沉思，实在想不出什么来；二是因为我喜欢嘲笑知识分子的装腔作势。结果被抓拍时，还是露出了忧国忧民的表情。

日本老龄化问题严重，老年人非常多。我在东京遇到过的出租车司机基本上没有低于60岁的。当我们在日常生活中难见到衰老时，我们对衰老的适应能力便随之下降，就像中国的城市中难见到墓地，所以我们对死亡格外惊骇。

少男少女在镰仓的海边。国外的少男少女总会显得更天真和幼稚，仿佛他们的快乐来得更容易一些。

拍这张照片时我刚来日本，时常有「快乐是他们的，我什么也没有」的哀怨。

东京漫长的梅雨季节和干燥的北京截然不同。我和日本人相处，有时会觉得他们精神力弱——埋藏在温柔表象下的优柔寡断，不知道和潮湿的雨季有没有关系。

我真不懂日本人奇怪的耻感，在便利店买女性用品时，店员总是仔细地把手冲牛皮纸袋装好，生怕人我尴尬，而各种封面充满了感官刺激的杂志，贝这样大大咧咧地伸展在每个路过的人面前。

在永田町地铁站找路。永田町是政治中心，每天最常见到的就是穿着黑色西服神色匆匆的中年政府官员。

用那句著名的话来说，「爱是想触碰又缩回了手。」

山手线的末班车，把人生浸泡在酒精里的上班族，不得不搭上这班车面对现实生活了。刚到日本时，我总是非常惊悚地在地铁车厢的电子屏幕上看到因为有人跳地铁自杀伤亡，某条线路不得不延误的消息。直至这种事情几乎每天都发生，我也就麻木了。

日本人喜欢看花。樱花季，日本人早早就在上野公园的樱树下占了位置，喝酒作乐，他们头顶上却连花苞都还没有。据说樱花阴气重，要用酒宴上的阳气来冲散。

想象力。

比如，前段时间我看到一则新闻，讲的是 2010 年，一艘山东的渔船载着 33 名船员去南美钓鱼。出海 8 个月之后，当这艘渔船回到港口，船上只剩下 11 名船员，他们杀死了 22 名同伴。这 8 个月到底发生了怎样的恐怖，人性的黑暗是小说家难以想象，或者说不愿意去想象的。

再比如，去年我看到一则新闻，讲的是中国东北的一个纺织厂在 1987 年发生了爆炸，大部分工人都是女性。她们有的满脸伤疤，有的失去了双手，有的失去了乳房。直至今日，她们一直生活在两座楼里，这两座楼就像孤岛一样，被周围人称作"鬼楼"。她们不曾离开那里半步，依然唱着自己 20 岁时的歌曲，仿佛被凝固在时光中。

这样的事实，远远比作家的想象更有力量。

因此，在面对现实时，我常常觉得失望，因为无论我怎样写，都无法超过现实本身。

另一方面，在中国描述现实的挑战是：有很多的事实我是无法直接描写或者涉及的。

如果不能涉及事实，那又该怎样描述真实？这是一个有趣的问题。

当无法对抗现实的时候，用虚构的方式去瓦解它，或许是一个不错的选择。比如《1984》给人的震撼胜过了任何一部纪实文学。我来日本之后，看了很多漫画，觉得它们反乌托邦的幻想也很迷人。

这就是小说的魅力，它有点像摄影。当我们看到一张照片，体验到的恰恰是真实事物的不真实性。这种不真实感，这种陌生感，会带给读者更大的震撼：原来我所身处的是这样的世界啊！

对于西木老师，您如何处理真实和事实之间的关系？您的经验会是我非常好奇并且愿意学习的。

我喜欢鲁迅的一句诗："当我沉默的时候，我觉得很充实；当我开口说话，就感到了空虚。"

在事实和真实之间探索，在充实和空虚之间犹豫，这对我来说，就是写作最大的魅力。

2016.3.15 （星期二）

　　S 先生开车带我去游览东京周边的神奈川县。S 先生在神奈川县读的大学和研究生，对这里很熟悉。他说带我去看神奈川县美术馆的叶山分馆，我本来不太有兴趣——听起来太像一个县级美术馆，真正到了建筑面前却吓了一大跳，临海的白色建筑，内部宽敞明亮，正面落地窗外就是蔚蓝的大海。

　　真是没有比日本人更含蓄地欣赏海的了，比起喜欢吹海风晒太阳的西方人，日本人似乎更喜欢在一块飞机舱窗户一样的玻璃后，喝着茶静默而遥远地注视着海。

　　看到我惊喜的样子，S 先生笑道："这地方很少有人知道，但是我见过最美的美术馆。"

　　去时正在办芬兰女画家 Helene Schjerfbeck 的个展《Reflection》，

按照时间顺序展出了她的近百部作品。我去美术馆之前看了海报，对这个不认识的画家本来没抱太大期待，可当我和S先生看到第三幅时，忍不住交换了一个眼神。

那是1862年出生的Helene年仅16岁时的画作，画的是一个在雪地中受伤的年轻战士，无力地靠在树下，远远地有一群模糊的黑影——是抛弃了他的大部队。受伤的战士手上有把枪，恐怕是大部队留给他最后的仁慈，让他用枪结束自己的生命。

我和S先生交换眼神的意思是：16岁就画得这么好，剩下近百幅作品都是什么？还能好成什么样？两个人心里既惊喜又有些深不可测的惴惴。

Helene从小是个病弱的孩子，4岁的时候摔断了一条腿，然后借由画画孤独地挖掘自己的内心。很多艺术天才的觉醒都是因为有一个不幸的童年，无法像别的孩子一样在阳光下奔跑，于是百无聊赖地在房间里看条纹布的幔子，那淡白色单调的线条成了思考最早的起点。

Helene18岁的时候画过一幅叫作《康复期》的画，画的是自己的童年。一个小女孩被包在毯子里，坐在藤椅上，玩弄着自己手里的一根柳枝，无比专注和喜悦，对柳枝的凝视成了她艺术的起点。

她早期画了许多孩子，色调柔和。她爱画小孩的背面，被保姆抱在怀里的婴儿露出脖子后面软绵绵的肉，毫无自保能力。后来又画了许多早熟的少女，比同龄人更早开始百无聊赖，或托腮沉思，或趴在栏杆上发呆。我被她画里少女的神情所吸引，那种寂寥并不是表演性的。杜拉斯的《情人》里趴在渡船栏杆上的法国少女是表演性的，平檐男帽和托卡隆香脂，她知道自己不符合年轻的寂寞会被观赏。而 Helene 画里的少女却不是任何人的风景。

Helene 曾经在欧洲学习各种画派的技术，因此风格也显示出多样性来。她喜欢画人物，各种人的变形，大多数是女性，只有少数几幅主角是男性。其中一幅我印象深刻，是一个男人微微弓着的裸着的后背，那角度一看便是躺着的女画家看到的男人背影，男人以为女画家已经熟睡了并准备离开，却不知道女画家醒着，看着他狭窄的背脊，意识到他不爱她了。

后来看资料，画中的男人果然是 Helene 曾经的未婚夫，他毁弃了婚约。

Helene 在游历了欧洲之后，独自一人回到了赫尔辛基北边的一个小村庄，和母亲一起生活了 40 年。在与母亲居住的日子里，因为缺乏模特，所以她的画很多是对早年画作的重新创作，另外就是大量的自画像。

她的自画像大部分表情淡漠，色彩暗淡，神态拒人千里。我很熟悉那种冷漠，有种人因为极度敏感和害羞，表现出来反而是一种冷漠。

她的自画像很像另一个有名得多的女画家弗里达画自己——但是用了蒙克的颜料管。

画展的最后，是她年少时的自画像和临死前自画像的对比。她临死前画的是怎样一幅可怖的画啊，只有灰黑两种颜色，嘴与眼都是黑色的窟窿，骷髅一般，似乎还没有画完。Helene 说："我想画人，画人，只想画人。"

——那该是怎样的决心，饶有兴致地盯着镜中的自己，画下生命的气力被抽光的过程。

我看到两张自画像的对比，忍不住哭了出来，扭头看 S 先生也在抹眼泪。S 先生的太太是画家，他说："我要鼓励我的太太画得更勇敢一点。"

2016.3.24 （星期四）

　　和 L 先生、S 先生一起去了轻井泽。之前总听说轻井泽是因为那里是不伦之恋的男女殉情圣地。《失乐园》里，医学教授的妻子和杂志社主编陷入了不伦恋，两人的恋爱不断受到现实的挤压，他们决定秋天在轻井泽殉情。

　　"秋高气爽，晴空万里。远处喷着烟雾的浅间山隐约可见。半山腰里已是红叶点染，山脚下遍野的芒草闪着金光……随着太阳西斜，浅间山的轮廓愈加鲜明，山脚下渐渐变暗，山峰顶端涌动着白云。不可思议的是，在向往生的时候，容易陶醉于寂寥的秋色；在准备去死的现在，却急于逃离这样的风景。"

　　两人在轻井泽的别墅里相拥服毒自杀。

　　《失乐园》的情节是模仿日本作家有岛武郎的人生。有岛武郎是大正时期的作家,周氏兄弟很推崇他。他的恋人波多野秋子是妇女公论社的记者,丈夫是自己的英语老师。波多野秋子认识倡导男女平等的有岛武郎后,两人自然是天雷地火般相爱。女记者的丈夫发现了这桩丑闻,一方面不许妻子离婚,另一方面又把妻子献给有岛武郎并勒索巨款。深受其辱的有岛武郎畏惧丑闻,约恋人来到别墅服毒自杀。

丑闻对一个日本人的影响有多大?我忽然想起在东京的地铁上,抬头就能看见当期《周刊文春》杂志封面的海报,那是一本曝光从政界到娱乐圈各种新闻与八卦的杂志,黑白页面,密密麻麻的文字,只有"不伦""夜宿""淫行""肉食"几个词被放得巨大。我所住的永田町是政府官员集中的地方,一个月前,一个年轻有为的议员被杂志爆料其在妻子怀孕期间出轨。在电视里看到极高大英俊的议员流着眼泪道歉辞职,政治生涯宣布结束,我心里无端想起了"小公务员之死"几个字。

温泉旅馆是作家岛崎藤村生前最喜欢的一家。说起岛崎藤村,又是一则丑闻——他中年时和自己19岁的侄女发生不伦关系,在侄女不幸怀孕之后,他吓得跑到巴黎躲了三年,回来之后又和侄女旧情复燃。

岛崎藤村在旧情复燃的第二年,把以这场叔侄不伦恋为主题的自传小说《新生》发表了。小说发表后，他的侄女无法在日本生活，躲去了台湾，一生颠沛流离，后来贫病交加被疗养院收容。岛崎藤村倒是凭借这部小说收获了名声。

《新生》号称是一部"忏悔小说"。我不喜欢看忏悔小说，就连卢梭的《忏悔录》看了也让我生厌。因为写忏悔小说的人往往是感伤主义者，一个感伤主义者很可能是个残暴的人。卢梭会为了进步的思想哭泣，却对生活在济贫院的私生子不闻不问；岛崎藤村在小说里为了欲望和世俗的撕裂痛苦不已，状似坦诚，其实把不利于自己的部分悄然删除了。

真正善良的人是敏感的人，而不是感伤的人，敏感的人刀刃永远向着自己，而不会像感伤主义者一样对着他人的伤口作诗流泪。

旅馆不大，只有两层，十间房间左右，只住了我们一行三人。前厅布置得很温馨，有篝火和舒服的长椅。

"你们晚上可以来烤火。"服务员是个羞涩的少年。

温泉在旅馆外面，要上几十级台阶，有室内和室外两种，都只有我一个人。室内的温泉池里放满了苹果，芳香扑鼻，墙壁上写着岛崎藤村最负盛名的诗《初恋》：

初恋

记得在苹果树下的初次会面

你那乌黑的头发刚刚束起

一把雕梳插在发间

衬托你那如花似玉的脸庞

你温柔地伸出那白嫩的双手

将苹果塞进我的怀里

那微微泛红的秋天的果实

恰如我们那伊始的恋情

……

实在不知道写得好在哪里。

我是不太会泡温泉的人。这是我"农民"的一面——我无法坦然地享受泡在热水中的乐趣,洗澡是功能性的,洗干净自己是完成一件事,但长时间泡在热水里对我来说舒服得很痛苦,过不了两分钟就爬了出来。

晚上和L先生、S先生吃饭。L先生是中国人,到日本20多年,长着一张歌舞伎面具一样长长的脸,高高吊起的短眉毛和小眼睛,稍微一蹙表情就是震怒。S 先生是日本人，几乎是正圆的脸，皮肤雪白，眉眼清秀，像是浮世绘里的美女。

S 先生装作日本大和抚子式的温良妻子喊 L 先生"老公"，给他倒酒和披衣服，非常有趣。

L 先生问我来日本这几个月最大的变化是什么，我说大概是变得会享受生活了。比如我之前从来没有赞美食物的习惯，但现在一个人吃饭时也会默默沉吟点头，自言自语："真好吃啊。"仿佛是一种心理暗示，生活真的美好了一些。

还有一个变化大概是开始频繁地饮酒。日本的清酒不烈，怎么喝都不醉，人总处于一种嗨赖赖的状态中。日本人爱喝酒，白天和夜里的日本人差别很大，他们晚上喝完酒之后变得非常吵闹，和白天客套的样子完全不同。我很喜欢看末班地铁上的日本人，都是西装革履的醉汉，露出了放纵的本相，同时为这种本相感到不好意思。

和 L 先生、S 先生喝了啤酒、米酒、清酒和威士忌。餐厅打烊之后我们移步到了前厅，一边烤着篝火，一边用手机放邓丽君的歌，大声合唱起来。旅馆的老板是个 50 多岁的中年男人，大概害怕我们一把火烧了房子，一直讪讪地站在不远处看着我们，可也不敢干涉和打扰。

我喝得实在是太多了，到最后一杯威士忌的时候终于喝醉了。我不爱喝洋酒和白酒，总觉得它们无法从身体里挥发，喝清酒和葡萄酒时我总是越喝越清醒，活动一下酒精就全部散去了，最后一点酒劲儿，我总是哀求着它们在我体内再盘旋一会儿。

喝完再去泡温泉，走出旅馆的时候发现下起了漫天大雪，白茫茫的一片。远处的森林尽陷雪中，身后昏黄灯光的旅馆如同幻觉，那殉情的情侣灵魂飘散的荒山才是确实。无数感受如同突袭一般向我涌来，想起的却是前辈文学家说滥了的辞藻，索性把内心平摊在地上，放弃总结。

2016.3.25 （星期五）

　　S 先生昨晚喝多了，早餐时面色苍白，食不下咽。我和 L 先生倒是吃得很高兴，觉得在酒量上战胜了日本人。

　　上午在轻井泽逛了逛，无意间进入一间画廊，发现在卖藤田嗣治的画，而且价格并不贵。我看中一幅极不起眼的小小版画，一个裸体趴在地板上的女人，头发和地板上的纹路连在一起，如同河流。她面朝一扇窗户，窗户隐约露出一个过路男人的帽子。我喜欢她脊背的线条，很丰盈的肉体，很孤独的灵魂。男人走了她还不愿起身，不知道是贪恋残留的体温，还是沉湎于自怜。

　　我跪在地上看这幅版画许久，连画框 10 万日元，物超所值。但带回国很麻烦，只好作罢。走前又留恋地多看了几眼，跟老板娘抱歉地说："画里这个寂寞的女人不知道又要在这里躺多久。"

晚上到巢鸭一家叫作"锡林郭勒"的内蒙古餐厅吃饭。L先生是内蒙古人，这里的常客。老板是日本人，会说中文，不知道从哪里买来了我的书，让我签名。

菜吃到一半，主厨从后厨走出来，是个胖胖的中年人，标准的蒙古人长相。他关了灯，拿出马头琴开始演奏。第一个音符响起就知道不是业余选手，而是很厉害的演奏家，琴弦早就是手的一部分，已经无所谓技巧，听的是其中的人生况味。

他拉了一首思念母亲的曲子，像是中年男子趴在母亲双膝上压抑而深沉地抽泣，听得我忍不住泪下，看其他日本食客也都在擦眼泪。

餐厅老板说这主厨原来是有名的马头琴演奏家，十几年前来到日本。在破败的巢鸭一间很不显眼的小馆子里，竟然能听到好听得让所有人起鸡皮疙瘩的马头琴，真是奇遇。

主厨拉完琴过来与我们一起吃饭，教日本人S先生说内蒙古脏话。S先生天真得像小男生，兴奋而用力地说个不停。

2016.3.30 （星期三）

　　樱花开了，天气变得很暖和。

　　我这回带来的都是冬天的衣服，得去表参道买春装。满街女性都穿得轻薄和时髦，只有我还穿着毛衣和大衣，出了一身汗。

　　徘徊在百货公司的橱窗外面，想到了施蛰存的短篇小说《春阳》，讲35岁丧夫的昆山女人婵阿姨为了钱嫁给牌位，生活唯一的目标就是守财。她在初春时到上海买衣服，在南京路上看到来来往往的人们都穿得那样轻盈、那样美丽，而自己穿着的底绒线围巾和驼绒旗袍是那么累赘。她流着汗，走走停停，心和身体一样被春阳勾引得痒痒的，可终于什么也没买，回到精打细算的生活里去。

　　向田邦子有一篇《春天来了》，还要更残酷些，讲大龄未婚女人直子与广告公司的上班族恋爱, 上班族不仅给直子带来了春天, 也给她的家带来了春天。曾经自甘堕落的家因为上班族总来做客, 收拾得越来越整齐, 连洗手台前的擦手巾也换了新的。青壮年男子的到来激发了家里全部女性的荷尔蒙。逛庙会时, 直子的妈妈——53 岁的须江因为被色狼摸了一下而兴奋不已。后来, 上班族和直子分手, 离开了这个家, 也带走了春天, 房子再次变得又破又旧。须江突发疾病去世了, 直子为母亲整理遗物时, 发现了整柜新买的口红和化妆品。

想到这两个故事, 黯然神伤, 仿佛春天是一场骗局, 什么也没有买就回去了。

2016.4.4 （星期一）

退了在永田町的宾馆房间，另外找公寓住。

大概因为日本社会排外，中介对租房和短期居住的外国人不太友好，所以只能拜托 S 先生和我同道。去看公寓，下了地铁站贴着铁道走，窄窄的只能容下一人的道路，旁边是铁丝网。电车在低处跑，草地上散落了些紫色的花。

S 先生说："我喜欢铁道旁边的房子。"

我说："我也是。"

S 说："我 19 岁在神奈川的房子就在铁道旁边，听到列车的声音很开心。"

我说："我童年一直住在火车站旁边，喜欢晚上听着列车哐切哐切的声音，觉得很开心。"

S 说："我也是。"

我感激 S 先生的敏感和体贴。铁道边的房子因为很吵，所以价格便宜，但被我们说得像是一种布尔乔亚的浪漫选择。

进公寓看了看，内部整洁干净。公寓的墙上贴着倒垃圾的规定："周一可以扔纸、布；周二可以扔玻璃、厨余垃圾……"看得人觉得很安心。这样的规则让人有生活的存在感。

基本上确定了要住这间公寓，定下来之后告别了 S 先生，去坐公寓附近的"都电荒川线"。那是东京仅存的路面电车线，行驶的时候会发出叮叮的声音。它只有一节粉红色的车厢，速度非常慢，慢得拖住了整个城市的后腿。

我坐这趟车去物价更便宜的巢鸭买日用品。巢鸭是相对贫困的生活区，是枝裕和早年拍的《无人知晓》就是根据巢鸭的一桩真实案件改编的。1988 年巢鸭警察接到房东的报案，到一处公寓调查，发现了三个孩子和一个婴儿的白骨。原来母亲离家出走，一直是哥哥照顾其他几个孩子，他们靠吃便利店过期的垃圾食物为生，已经严重营养不良。看惯了极其现代化和摩登的东京街景，以及富有浓浓人情味的谦和笑脸，很难想象还有这样悲惨和绝望的事情发生在某个公寓的门后。

车窗外鳞次栉比的街道越来越破败，我总觉得在车上的感觉

十分熟悉,仿佛在文学作品中读到过,后来查到《挪威的森林》里男主角也坐过这节车厢:

"电车紧贴着家家户户的房檐穿行。一户人家的晾衣台上一字排开十盆盆栽西红柿,一只大黑猫蹲在一头晒太阳。在院子里吹肥皂泡的小孩闪入眼帘,石田亚由美的歌声不知从何处传来耳畔。甚至有咖喱气味飘至鼻端。电车像根缝衣针一样在密密麻麻的住宅地带蜿蜒前行。"

原来我刚刚看的公寓所在的庶民区就是《挪威的森林》里绿子的家。那些便宜的风俗店、挨挨挤挤的平房,就是渡边去找绿子时穿过的地方。而我刚刚经过的地铁站前的商业步行街,则是绿子家"小林书店"的所在地,那家销量担当是低俗色情杂志的昏暗小书店。

2016.4.7 （星期四）

　　被 L 老师带去看了脱衣舞。

　　身为女性，活在世上的优势并不多。其中一个优势就是可以肆无忌惮地欣赏别的女性的身体，用目光舔过她们的身体，高声谈论她们的胸部和大腿。但你很难想象一个男性做同样的事情——无论是对同性还是异性，而不遭受他人"大哥你离我远一点"的目光。

　　感谢这性别的特权，近两年我出国旅游时开发出一个常规项目：看脱衣舞。我能够声如洪钟地对同行的人提出要求："带我去看脱衣舞。"而不用像领导干部一样偷偷摸摸地低声问导游："下面……还有什么节目啊？"

　　我第一次看脱衣舞是在莫斯科。

两年前，我和一群朋友去登欧洲最高峰厄尔布鲁士，住在3800米的"汽油桶"营地，房间是一个个大铁皮桶。每天一个俄罗斯大娘提供早晚两餐，包括硬的面包片、不甜的西红柿、喝不下去的奶油汤。

我们吃完早饭，就出门在雪中步行几个小时，缓慢地吃完随身带的三明治，然后返回营地，没有网络，没有娱乐，每天唯一的景色就是雪。不到一周，我就觉得自己大脑也变成一片电视机雪花点。

登顶成功，我们从山脚回到莫斯科。大巴车上，登山教练开始盛赞他上次来时在莫斯科看的脱衣舞，他形容每个舞娘都美若天仙，身材比"维密天使"还要好，万分娇俏，万分迷人。当时我们一伙儿的状态有点像人猿泰山第一次进城，哪里禁得住这等撩拨，同行的几个女性立刻雀跃着表示晚上就要去看。

吃完晚饭，我们组团去看脱衣舞，找的地方叫作白熊酒吧，算是挺高档的看脱衣舞的场所，入场券是一百美金，交给门口两个魁梧凶恶的保镖。他们长得太过类型化，就是电影里随时会把人像扔垃圾一样扔到门口的那种。

脱衣舞池和想象中一样，粉红色灯光下的小小圆形舞台，台上一根钢管。舞台周围是一个个圆形沙发,观众不多,四五十人,使得我们这一队人马更加显眼——十几个人里大部分是穿着荧光色登山服的年轻女性。

脱衣舞娘终于上台,的确是身高腿长,但是长得实在粗糙了一点,就是在北方街上经常能见到的俄罗斯大妞,眼神已然有些浑浊。她们穿着薄纱的睡衣和透明的高跟鞋,围着钢管跳舞。我每一次都期待下一个舞娘漂亮一些,但每次都失望。一共只有六个脱衣舞娘轮流上台,一个比一个不好看,最后一个红发舞娘,下颚的线条长得很生硬,非常男性化。我不知道是因为她的舞姿还是长相,她诱惑的姿态总让人觉得有点凄凉。我往她的内裤侧面塞了二十美金,其实是想让她不要跳了。

同行看脱衣舞的几个男性国人"葛优瘫"在沙发里,马上就要睡着。我作为提出看脱衣舞的人,觉得有愧,想炒热气氛,就把钱塞进一个金发舞娘的高跟鞋里,让她在我身上跳舞。

那是我最近距离和同性身体接触,她跨坐在我身上,把我的手放在她的大腿上。我一动不敢动,只觉得她的皮肤滑腻得不正常,散发出一股甜香,味道有点像老牌化妆品里的鸭蛋粉,并不温香软腻,反而觉得像抱了一尊石灰塑像。

气氛短暂地热络了一下,然后又变得沉寂。我们坐的区域一片低气压，有两个同行的男性国人真的睡着了，抱着手臂，头微微垂下，还开始打呼噜。台上的舞娘不以为意，还是跳得卖力，肌肉毕现，我想她们大概见惯了这种奇怪的客人。

我第一次看脱衣舞的经历就是这么不刺激，感觉像参加单位的表彰大会，偶有精神一振的瞬间，但大部分时候都让人昏昏欲睡。

第二次看脱衣舞是在巴黎，看全世界最负盛名的情色表演"疯马秀"，全世界最出名的脱衣舞娘蒂塔·万·提斯就参加过"疯马秀"的表演。

我买的是最便宜的票，一百多欧元，原本以为座位是在最后一排，需要望远镜才能看清台上到底有几个人，结果发现座位在第一排，我只能仰着脖子。因为不舍得花钱，所以面前连杯凉白开都没有，双手平置膝盖上，规矩得像看幼儿园文艺会演的小朋友。

演出开始，幕布掀开。我吓了一跳，距离我一两米的舞台前方整齐地站着十几个身高一样、腿长一样、胸型一样、肚脐到耻骨之间的距离一样，蜜桃皮肤，浓妆艳抹的少女，宛如克隆人。她们只有下身隐私部位贴了一块黑胶布，衣着裸露，头戴高高的仪仗队礼帽。音乐一响她们欢快地舞蹈起来，整齐划一，向前踢着大腿，高跟鞋几乎从我的头上划过。

这种开场非常有趣，因为它是"反脱衣舞"的。

脱衣舞的色情之处，在于它的欲盖弥彰，欲裸还盖，先做出一种神秘的许诺，然后脱一点穿一点，赤裸的过程用一种缓慢而诗化的过程体现，速度就像人堕落的速度。赤裸本身没什么迷人的，迷人的是堕落。

但是"疯马秀"的开场就已经无衣可脱，用一种欢快的、没有道德感的方式展现赤裸——舞台上的姑娘就像幼童，没有意识到自己裸体的羞耻感，天真得不像话。

"疯马秀"的表演一共由好几个舞蹈组成，我最喜欢的是一个以镜子为道具的舞蹈，女人和她的镜像共同表演，一个女人四条腿儿，两个女人八条腿儿，再加上舞蹈演员身材体形一样，虚实难辨。

看完演出，我问同行的两个男性友人有没有被诱惑出生理反应，他们都说没有，反而表示休息环节一对双胞胎男舞者表演的滑稽踢踏舞最好看。

姑且不把他们看作嘴硬，我想或许是因为"疯马秀"的情色太充盈和完美了吧，属于"饱汉子饱"，但男性觉得被诱惑往往是因为"饿汉子饥"？我也不敢确定，男性在我看来虽然心思简陋得一塌糊涂，但依然是个谜。

后来，我看一个"疯马秀"创始人的访谈，解释了为什么这个表演名头是"世界上最极致的情色表演",但是却一点也不色情。他说:"我们既不脱,也不舞,我们在戏拟。我是个骗子。"

"疯马秀"的演出也不以追求极致的情色为目标,而是追求一种极致的肉体戏谑,希望观众被肉体的戏法弄得心神迷乱,而非燃起性冲动。这个追求显然比一般的脱衣舞要更高级。

这回看脱衣舞,时间是下午,地点在浅草。

小而隐蔽的剧场,在周围晃了二十分钟才找到门。买票的时候我看到贴了一张告示,写着"65岁以上的老人半价"——也不知道这属于尊老爱幼还是年龄歧视。

不打折的票价也不贵,大概两三百人民币。日本人的确认真,舞蹈开始之前,先给观众一人发了一张"演员介绍表",介绍今天脱衣舞者的艺名、三围、兴趣爱好,以及第一次登台的时间——只有通过这一项可以大体猜出她们的年纪。我看到一个脱衣舞娘的兴趣爱好和我一样:读书和音乐鉴赏,不禁惺惺相惜。

剧场不大,舞台主体是一个T台似的长形舞台,它延伸出来,连接一个可转动的圆台。一百多个座位,只坐了二三十个观众,可能因为半价,大部分是老年人,只有两个害羞的年轻女孩不时交头接耳,看起来像是来业务学习的。

日本的脱衣舞好玩，它不像莫斯科的脱衣舞一样缺乏编排——俄罗斯舞娘们的动作差不多都是在钢管上爬高爬低，而日本的脱衣舞每个表演都有不同的主题，基本上是独舞，主题符合舞者的气质，但表演不像"疯马秀"那样劳师动众，过度编排。

我印象深刻的是其中两个表演。一个舞蹈本身并不出色，主演是一个看起来有些年纪的舞者。她虽然远看身材依然纤细匀称，但在残酷的灯光下，观众却能看到她身上所有的褶皱和松弛。跳到一半，从台下冲上一个观众给她献花，两人看起来很熟稔的样子，年龄也相仿，大概是她多年的粉丝。

我看"演员介绍表"，这个舞者第一次登台是 25 年前，推算她现在最年轻也有四十五六岁。她下了班是什么样子？穿上更符合年龄的暗色系衣服和平底鞋，坐地铁回家，路上再去超市买点菜？她家有孩子在等着她吗？我简直脑补出一部电影来。

另一个印象深刻的舞蹈，主题是"阴阳师"，表演者是一个少女，没有笑意，不娇不媚，蛋形小脸，栗山千明的发型，完全无瑕的雪白皮肤，完全无胸的少年身材。她穿着阴阳师的狩衣，表演与凶鬼斗争，时而被恶鬼附身，撕扯着自己的衣服；时而战斗正酣，舞动大腿，被看到她掀起的白袍里未着内裤。有一幕她气势汹汹，表情肃穆地剑指台下，背景音乐有种沉郁的辉煌。我看台下的大爷大伯神情也变得严肃，被少女澄明的眼神扫到了，仿佛自己污秽的灵魂受到了谴责。

其他舞蹈的编排虽然认真，但没有太出色的。中场休息时，舞台上放了一段 VCR，是脱衣舞女被面试甄选的短剧。面试者都穿黑色舞衣站成一排，被选中叫到名字的舞女激动地掩面哭泣，其情状之励志感人，不输 AKB48（日本大型少女偶像团体）的总决选。背景音乐我听不懂，但我猜歌词大概是"只要有梦想，谁都了不起"。

但这还不是最令我惊讶的，最令我惊讶和疑惑的是每个舞蹈都有一个"高潮"的环节，就是舞者跑到舞台最前端的圆形转盘，侧卧在地上，啪地打开大腿，两腿呈 75 度角，展示她们没有任何遮掩的隐私部位。转盘旋转一圈，确保每个角度的观众都能看到，像是一块顶级金枪鱼接受食客的检阅和赞美，这时，观众席爆发出热烈的掌声。

我一边跟着其他观众热烈鼓掌，一边在想：我这是在干吗？掌声里没有任何淫荡的意味，而是一种真心诚意的赞美，就像是给空翻之后稳稳落地的体操运动员的掌声。可这个动作并没有什么技术难度，他们在称赞什么呢？舞者的勇气，职业人的作风，还是那个部位的美丽？

或许鼓掌是出于日本性文化一直以来对女性生殖器的崇拜。

我看法国著名的后现代理论家波德里亚的《论诱惑》，里面提到日本的一种阴道表演，比任何脱衣舞都要离奇：

姑娘们将大腿开架在表演台的边缘，日本的劳动者身穿衬衣，可以将他们的鼻子和眼睛埋到姑娘的阴道处，以便看得更清楚。在这个过程中，姑娘要么和颜悦色地与他们说话，要么假惺惺地把他们推开。

同时，观众开始对各自看到的阴道评头论足，轮番比较，这么做时却从不嬉笑，更不哄堂大笑，其神情死一般的严肃，也从来不想用手去碰。

没有任何淫荡的感觉：一种极其严肃而又孩童般的行为，一种对女性器官的镜像的绝对着迷。

这种表演不知道是否已经失传了，我看到的或许是它的变异。我虽然无法理解其中的美学，但也知道，任何民族的性文化都不能简单地用"变态"两个字概括。

很多直男读者看到我写这篇文章，分享自己对脱衣舞的兴趣，肯定会给予"下半身作家""你思春了吧""思想真黄"这类评价。可我对于更色情、露骨、互动性更强的性表演并没有兴趣——我童年时在缅甸看过一场准色情的人妖表演，表演者露出两种性征的画面给我留下了巨大的阴影。我回想起自己为什么喜欢看脱衣舞，并不是出于性的萌动，不是体验生活，不是猎奇心理，不是业务学习，我也没有任何变成女同性恋者的征兆，而是因为一张照片。

我记忆里看过最动人的写作状态的照片，是20世纪30年代的脱衣舞皇后吉普赛·罗斯·李，她在寓所里修改小说，穿着舒适的衬衫，地上一团团废纸。我忽然发现写作和脱衣舞之间有一种心照不宣的联系：她在舞台上除去衣衫，下了台之后，用写作给自己和世界一件件穿上衣服。

2016.4.8

L 老师听说我不喜欢吃马肉刺身，特意带我去银座一家专门吃马肉刺身的餐厅。

L 老师是东北人，20 世纪 80 年代就来了日本，在日本的文学杂志做编辑，因此对日本文坛的掌故很熟悉。

说起作家喝酒，他说过去的日本作家和编辑关系紧密，又肯花钱，得了稿费就全部用来请编辑喝酒。

他说自己第一次和日本人喝酒就是作为编辑去见作家喝酒——几个人在宾馆拿着漱口杯就喝了起来，简直像他上山下乡时见到的贫下中农，倚在供销社柜台上喝，没有菜，就舔一粒盐下酒。

日本人的确爱喝酒，而且自己灌自己。白天的日本人很安静、压抑，喝了酒的日本人变得声音巨大，面部似乎还不熟悉大笑的表情，脸上多是一种近乎哭的狂喜。

我想到自己在神保町旧书店看到的日本春画画册，画中的男女狂热交媾，双脚痉挛癫狂，四肢突兀地出现在不可能的位置，舒服得恶声恶气。相较而言，中国的春宫画要羞答答得多，多是凝固在一个半推半就的姿势。男方往往显得并不投入——更不要说像日本春画中男性雄赳赳气昂昂的样子。他们仿佛并不真正享受性爱本身，而仅仅当作养生的一个步骤或程序。

日本人喝酒和他们的春画有点像，本是快乐而雍容的事，却因为他们平日太压抑，这时候放纵的背德就显得有点凄凉。

L 老师说，日本作家里唯一喝酒讲规矩的是三岛由纪夫，他正装喝酒，而且绝不喝醉，喝完回家执笔写作。他还曾经在《叶隐入门》中教训日本人："在日本，酒席形成了不可思议的构造：人变得赤裸，暴露弱点，什么样的丢人事、什么样的牢骚话都直言不讳，而且因为是酒席，过后被原谅。"

我问 L 老师，现在日本作家和编辑还喝酒吗？

他说现在编辑和作家远程作业，失去了那种紧密的联系。日本包括作家在内的年轻人也越来越不爱花钱，晚上在居酒屋喝酒，喝完一杯啤酒之后就一杯一杯地喝冰水，耗在那里，再也不像过去那样豪饮。他初到日本见到的那种靠喝酒联系起来的文学景观算是彻底消失了。

2016.4.16 （星期六）

今天去神保町的旧书店买书，看到了很多幅川端康成的海报，才意识到今天是川端康成的忌日。

关于川端康成自杀的说法很多，我愿意相信最简单的那个。他从小父母双亡，和爷爷奶奶居住，少年时爷爷奶奶也相继过世。他小时候便亲历过父母的死亡，整个少年时期又都在目睹生命一点点从老人的呼吸中溜走抽离，因此他对衰老和死亡格外敏感。我猜他自杀，也是因为难以忍受口中的气息有了死亡的酸腐吧。

我青春期时喜欢川端康成，曾经把他一张手握茶杯，凝视空气的照片贴在课桌上。那时候喜欢他，因为他纯粹和耽美，但后来反而喜欢他不那么美的作品。

我喜欢他的短篇小说《禽兽》和长篇小说《山音》。《禽兽》

是一篇意识流小说，川端康成用一晚写完的。它讲的是一个中年男子要去给过去的恋人送花，见了面却发现"她那张脸，就像一个没有生气的玩偶，简直像一个死人的脸"。在他的路程中，不断穿插着男子和动物一起生活的回忆。在这个小说里，狗的面孔和女人的面孔交替出现，时而重叠，人与禽兽的交界变得模糊，而作者任凭主角在小说里陷入道德无力的局面而拒绝出手相救，反而和主角一起沉沦下去。

川端康成本人非常厌恶这个短篇小说，说："《禽兽》中的'他'不是我，毋宁说那是我从我的厌恶出发写出的作品。"

我相信他对这部作品的厌恶是真实的，可那不是出于对主角的否定，而是因为作者在写作中自内部深处发现了一座地狱，因此惊惶地停笔。

《山音》则讲的是一个老公公对自己儿媳妇若有若无的迷恋——一半是微醺的迷恋，一半是最严格地审视她身上的少女气息有没有丧失一分一毫。

在小说里，川端康成对于衰老之人的厌恶呼之欲出。主角尾形信吾不仅厌恶自己衰老的肉身、妻子毫无性别特征的呼噜，也厌恶周围老人的言谈。他去参加过去同学的葬礼，"现在 60 多岁的这一伙人，大多是大学的同届同学，他们用学生时代的语言海阔天空地胡说了一通。信吾认为这也是老丑的一种表现。如今他们彼此仍以学生时代的绰号或爱称相称，这不仅是彼此了解对方年轻时代的往事，有着一种亲切的怀念，同时也掺杂着一种老朽的利己主义的人情世故，这些就令人讨厌了"。

主角信吾要承受生命的衰老，还要融入一个衰老的群体，这样才是社会认可的"得体"。他对生命中唯一青春清新的儿媳妇的爱就成了唯一的寄托。

很明显，这部小说也是川端康成出于嫌恶写的。

三岛由纪夫说："由于嫌恶或沉溺，作家会不知不觉地逾矩。感觉超越理智的限界，破坏形式，让人在那里窥见意外广大的原野。而且，只是'导游'作者费尽心血的庭园为读者突然打开了常青藤遮掩高墙的门，瞥见另外的旷野，除了此时再遇不上这种机会。惊慌的作者发觉自己有误，再不把读者领到那个门的地方。"

要想了解一个作家，不仅要看他备受好评的优美作品，还要看他本人讨厌的作品，因为那里面往往隐藏着他最深层的秘密。

2016.4.22 （星期五）

去东京都美术馆看了"若冲诞辰 300 周年"的展览。

伊藤若冲是江户时期的天才画家，主要画动植物彩绘。我喜欢有明确且猖狂的个人风格的画家，不喜欢精致的匠人，本来以为自己不会喜欢他的画，但看到却被深深地震撼了。

他画鸡的羽毛，远看只是一片红色，近看却有很多极其细微的黑色线条，没有一笔是多余的。细致的勾勒，很容易让中国人觉得："我们的古代工笔画也一样。"若冲的确临摹了很多中国的绘画作品，但不同的是他在视觉上做了很多奇妙而前卫的尝试。比如展出的屏风，他全部用小的网格做出了马赛克的效果，或许是从中东的镶嵌画中得到的灵感吧。

接近 300 年前的日本，他是从哪里获得这些丰富的海外绘画的经验呢？据说是从长崎——小小的港口，也是基督教传入日本的地方，从细小的窗口传入丰富的材料，被伊藤若冲吸收和升华。

若冲后来居住在京都，京都曾发过一场大火，很多他的画、寺院的壁画都被烧毁了。从此他不用昂贵的鲜艳的颜料，而更多用水墨。

我喜欢一幅《三十六歌仙图》，画得简单，歌仙身形和脸庞幼小得像童男童女，谈琴唱歌，把自己的身体当作琴桌趴在那里，喝醉了的样子，可爱极了。

还喜欢一幅水墨画《果蔬涅槃图》，画的是瓜果蔬菜。"涅槃图"的主题是释迦牟尼去世时的情景，他身边围绕着悲痛不已的弟子和动物。若冲用蔬果来表现这个主题，白色的萝卜是释迦牟尼——因为白萝卜无论从哪个方向切都是白的，表现佛祖的无瑕吧。而旁边的蔬果仿佛匍匐跪在那里，朝着同一个方向悲号。这是远比西方油画的静物图更自由的尝试。

若冲写下："千载只待具眼者。"哪里需要一千年才能等到理解他的人呢？

2016.4.23

　　和 Y 先生去东京站的美术馆看了川端康成的展览。东京站修建于 100 多年前，赭石色的建筑，西洋风格，高而宏伟，有点不真实，像是拍古代剧而搭起来的戏台。据说二楼有宾馆，只能看见白色的窗帘摇曳，似乎 20 世纪电影里的故事正在发生。

　　川端康成的展览一共有三层。从第三层开始，第一部分是他收藏的现代艺术，其中有一幅草间弥生的作品——我不大喜欢草间弥生，欣赏不了波点的美感。然而川端康成收藏的那幅叫作《不知火》，黑色画布上一团红色的火焰，其中有小小的虫子的形状，很有冲击力。

　　我最喜欢的一幅是画家串田岩彦的《神と共に》，抽象画，深浅不一的绿色中依稀见到线条勾勒出的大门，门上雕花图案复杂，下面是台阶，有两只蝴蝶正往门里飞去。我看时不知道这幅画的名字，觉得是受了但丁《神曲》的启发，画一处危险而神秘的地方，一进去就会摄了你的魂魄。

画家是藤田嗣治的学生，川端康成在他的画展上看到这幅画，非常喜欢，想买，可惜这画是非卖品。后来川端康成得了诺贝尔文学奖，画家就把这幅画作为礼物送给了他。

其他的藏品中，最多的是东山魁夷的画，很多画都成了川端康成著作的封面。我过去欣赏不了这种景物画，现在渐渐能感觉到它宁静的美感——但也仅仅止于做书的封面吧。

三层的展览非常重要的一部分是川端康成的初恋。他20岁的时候，爱上了一个13岁的咖啡厅女招待，叫作伊藤初代。从照片上看，是一个清秀瘦弱的姑娘，伶仃得像小鸡一样。展览展出了她和川端康成之间的通信，在很短的时间里，他们就确定了婚约。但是，在第六七封信的时候，伊藤初代忽然用很潦草的字迹告诉川端康成："以后不要再给我写信了！"

在第八九封信中，伊藤初代说，因为一件"非常"的事情，她要毁掉婚约，但她不能说是什么"非常"的事情，只希望川端康成当作自己没有出现过。接下来的一封信，反悔了之前的说法。再后来的一封信，又继续变得决绝。

还展出了一封川端康成没有寄出的情书，他非常痛苦，说："想你，想你，见不到你我做不了任何事情。"不知道为什么这封情书没有寄出去，如果寄出去会不会不一样？

几年之后，川端康成娶了松林秀子，一个看起来很强壮的女人。有一张川端康成得诺贝尔奖后和妻子的合影——妻子的体形有他两个大。他的小说里没有以他妻子为原型的女性角色。

二层展出的一部分是川端康成的通信。其中一段通信往来是和横光利一——一个极度贫困的作家。川端康成写过自己和他一起散步，走到一半，横光利一非常羞涩地说："我也想写畅销书。"因为朋友们都写出了畅销书，川端康成为此感到非常难过。

另一部分是川端康成著作的封面。我尤其喜欢一个封面，很简单，是各种各样手的形状的素描，有抓着电车吊环的，有弹琴的，有摘花的，我想作为自己下本书的封面。

此外，很大一部分展品是川端康成收藏的古代艺术品。他喜欢人像，而且搜集的人像非常生动。年代最古的是古坟时代的一尊女人像，浅浅的洞作为眼睛和嘴，乳房少了一个，越发显得朴拙可爱。有一幅照片，就是川端康成充满爱与喜悦地望着这尊雕塑。川端康成的眼神很紧张，无论是肖像还是和人的合照。在这次展览中也放映了一个记录他生活状态的纪录片，拍摄他写作、散步的样子,导演非常拙劣地在镜头后面命令他:"老师,现在可以站起来了。往前走……"川端康成的眼神有种呆滞的抗拒,隐藏着不安。但是他在面对风物的时候,眼神却非常温柔和松弛。

还有收藏品是圣德太子像,肉墩墩的少年,低眉合十,却像是压抑着某种叛逆。另一尊十面佛像,只有笔盖大小,异常精致。

我最爱的是一尊阿富汗的佛像。我和 Y 先生看得都被深深迷住了,那才真是"蒙娜丽莎",无论从哪个角度看,她都低眉含笑,从没见过那么美的嘴唇,丰润而漫不经心地微微翘起。

展览的结束部分也很有意思,用的是川端康成和吉永小百合的合照。当时的吉永小百合还是个少女,正在演根据川端康成作品改编的《伊豆的舞女》吧。两人并肩坐在片场,吉永小百合低头笑着,头微微偏离他的方向,他目视着前方,害羞地压抑着自己的笑容。

旁边的解说写着:"川端康成先生是不太笑的,那段时间却经常笑。"展览以川端康成的初恋少女作为开始,以他晚年和少女并肩行走的照片作为结束,其中温柔而幽默的暗示不言而喻:他当然热爱艺术和风物之美,但最能激起人激情的美,还是易变的脆弱的少女的美。

2016.5.27 （星期五）

住进了铁路旁边小小的公寓。

新家几乎什么也没买，买了床垫，睡在地板上，听到列车轰隆隆地经过。

这样的时候，虚度时光的感觉异常强烈，因为和社会保持着很紧密的关系。北京的家在封闭的院子里，外面是树，书房正对的地方是喜鹊窝，宛如在郊外，非常轻易就避世了——不知今夕是何年，也就无所谓虚度的愧疚了。

在东京的家里，却可以清晰地听见电车进站的声音，中间间隔的时间很短，是很拥挤的山手线。车上装满了穿黑色西装的上班族，对着车窗打量自己的仪表；还有着浅色工作套装的年轻女孩，头发妆容整齐，穿着适合走路和奔跑的中跟鞋。列车到站，他们快步走上站台。车门马上就要关闭了，他们不能停留，要迅速奔赴生活。

想到自己来日本已经半年多，还不会日语。前两天日本友人陪我去安装 Wi-Fi，我努力微笑着听他们交流，后来需要我在电话里用日语报身份信息，我模仿着店员的发音一个字一个字读着，非常窘迫。好像一下子回到了高中的教室，数学老师讲了一道题目，全班都懂了，只有我还不明就里，红着脸被远远甩在后面。

这两天因为自己沮丧的心境，写了一个短篇小说。写一个嫁到日本的艺术家，因为生活而慢慢丧失了生命力的故事。我不会写爱情，只会写两人费尽千辛万苦在一起，却一起目睹爱情的死亡。

2016.5.29 （星期日）

　　去公寓外面的洗衣房洗衣服。40分钟的时间，我只是看着洗衣筒里的布料不停转动。天下没有更寂寞的事了，和朋友说自己觉得寂寞。朋友说："我以为你内心只想创作，没想到也是会寂寞的人啊。"

　　当然会寂寞，但似乎也忍受不了你侬我侬的同居生活。理想的状态是工作时能看着自己的伴侣，两个人像是在高中的教室，午后休息的时间，其他同学还没来。你看着他前排的背影，他在做题或者是趴着睡觉，这个背影就成了你黑暗岁月中最大的支撑。

2016.6.25 （星期六）

　　回国一趟，出门办事，坐车路过家门口的公交站，看到马路旁有人围成一圈，像是出了车祸的纠纷。车开得近了一点，看见公交站牌前的马路牙子上躺了一个人，第一反应是有人喝醉了，仔细一看，发现他胸前一片殷红。

　　"有人被砍死了。"我镇静地对车上的人说。

　　下了车，步行过去看。那是你经常在新闻和微博上看到却不敢点开放大的画面：那人躺在垃圾桶旁边，还很年轻，30 岁左右，胖胖的，是那种毫无特征的长相——一时竟然判断不出是他本身长得就普通，还是死亡剥夺了他的相貌特征。他穿着白色的 T 恤和蓝色的运动鞋，左胸和右胸各有一两处刀口，致命的应该是砍在左胸口附近的一刀。

自行车道上——我原以为是车祸纠纷的地方，还有另外两个伤者，一个躺在地上，看起来已经没有了意识；另一个靠墙坐着，捂着肚子上的伤口呼呼地喘着气。

围观者不多，大部分人都是路过，骑在自行车上不断扭头衡量着事件的严重程度。固定的围观者是住在附近的老大爷们——老太太们都在马路的另一边远远看着。老大爷们很冷静，不拍照也不呼叫，只是和事发现场保持着亲密而谨慎的距离。

救护车很快就来了，把躺在垃圾桶旁边的白衣年轻人搬进救护车里。

"还有救吗？"围观的人问救护人员。

救护人员摇摇头，说："没气了。"

自行车道上的两个伤者也被抬到了救护车上，只剩下两摊血迹。

警察在现场拉起了警戒线，我听到他们打电话说要调附近的监控。

"凶手跑了啊。"我身边的老大爷向后到的围观者讲述案情。

"为什么砍人啊？"我插嘴问老大爷。

"等公车的时候，一个人踩了另一个的脚，那人就拿出一把小刀，扎进去……"大爷比画出一个手掌的长度，然后用食指戳着自己胃下面鼓鼓的肚子，接着说，"把拉架的人也砍了，然后就沿着天桥跑了。"

"以后不敢来这个公交站了啊。"有听众感慨。

这时，出现了一道闪电——一道如同恐怖电影里特效般标准的闪电劈开了灰蒙蒙的天，路人们皆受惊，或许想起了要在下雨之前赶紧回家，蹬了几脚自行车，都快速离开了。

"前方高能预警。"我脑海里忽然想起这句话来。准确地说，这是一句弹幕，看视频的时候，当主人公要进入一个黑暗的屋子之前、打开冰箱之前、刚结束一个愉快的约会之后，屏幕上方就会出现几行来自陌生人友善的提醒："前方高能预警。"

看到这句话的观众，开始收敛原本轻松的心情，凝固住笑容，把电脑的音量调小，喝了一口水。然后看到主人公被一双手捂住嘴，在冰箱里发现了一只手，在掏出钥匙开门之前被人用棒球棒打中后脑勺。观众一颗悬着的心落下了，终于没有受到预先设想中的惊吓，纷纷留言："感谢提醒。"

我一直怀疑，那些对后来的观众发出"预警"的人中，会不会有一些只是为了向后来者发出警告而重新看一遍这些视频？就像是好心人跑完一段全是埋伏的路，然后不断折返，为那些后来者指出埋伏的位置。

我们被大众媒体和影视剧惯坏了，总有种幻觉，觉得危险——尤其是死亡来临之前，会有些暗示。死亡会隐隐发出气味，或是稍微调暗了我们视网膜接收到的光线，我们控制生存本能的神经敏锐地接收到了这种信号，然后脑海里开始浮现巨大的黑体字"前方高能预警"。

这次近距离目睹死亡的经历对我最大的震撼就在于：这种预警机制是不存在的。天空忽然劈下那道闪电时没有预警；我在车上偶尔往窗外看，发现那具尸体时没有预警；白衣年轻人在凶手拿出刀来之前没有预警；拉架的人忽然决定不打车而是坐公交车时，也没有预警。

所有目睹过这种突发死亡的人，人生一定发生了某种变化，一个微乎其微的小型机关被开启了。对我来说，最显性的变化是我看视频时关掉了弹幕，我不需要预警了，我把它看作一个小小的练习，一个锻炼自己接受"无常"的练习。

2016.7.10 （星期日）

　　回到东京的公寓。看到电梯里贴了"失物招领"，画着一个印着风景和猫的手帕。我的公寓管理员是两三个 70 岁以上的老爷爷。每次他们在公寓里捡到遗失的物品，总会认真地画"失物招领"，用灰度深浅不一的铅笔。画里能明显看出一笔一画和用橡皮反复擦过的痕迹，画风严谨，进步明显。感觉每次公寓有人丢东西，这些老爷爷都非常兴奋，觉得可以大展身手了。

　　在日本待得久了，我锻炼了一个技能：增强了对老人的适应能力。

　　日本是世界上老龄化程度最高的国家，超过 65 岁以上的老人占人口的四分之一。我见过的出租车司机几乎都是 60 岁以上的老人；周末去美术馆看展览，四分之三的游客是老人；甚至去看脱衣舞,也有一大半的观众是老人。

在别的国家,我很少如此频繁地看到老人。记忆犹新的是几年前去波兰华沙,整整一个上午没有见到一个老人,全是背心短裤古铜色长腿的少女,让我疑心老年人被集中销毁了。

在北京也一样,老年人的活动场所和出没时间几乎是与社会脱节的。他们只有在早晨六点到年轻人出门上班之间的一段时间会在公园和家属区出没,其他时间少见踪迹,更不要说在公众场所见到身为工作人员的老人了。

人皆有一死,在死之前,人皆有一老。但人在变老之前,心理的自保机制让我们不愿面临老之将至的场景,想象中的老态也都是岁月静好,体面地坐在轮椅里看夕阳之类。而因为日常生活中少见老者,愈加难以体会他们生活真实的常态。

相对于在家里帮儿女带孙子的中国老人,日本的老人要过得丰富很多。2011 年我去登乞力马扎罗山,同时间有一队日本老年登山组,平均年龄在 65 岁到 70 岁之间,他们如同行军蚁一样敏捷有序,超越了一队队各国年轻的登山者,迅速登顶。

看了日本的老人,我总觉得自己过去对老年人生活的想象过于贫瘠,总想着他们是被抽干了人生意义的人类,但其实他们也有丰富的情感与恋爱。

好几年前看过大漫画家谷口治郎的一部漫画，叫作《老师的提包》，改编自川上弘美同名的获奖小说。讲的是 37 岁的单身女性月子在小酒馆里与过去的国文老师相遇，两人展开一段忘年恋的故事。故事里丧偶的老师已经七八十岁，是彻头彻尾的老人了。因为年纪的关系，两人彼此之间的试探总是很小心。月子不是一个热烈而不管不顾的女性，她也深知这段感情的现实压力，尝试着与年貌相当的昔日同学恋爱，最后却依然回到温柔如静水的老师身边。只有在老师身边，她才是那个毫无压力地以 37 岁"高龄"讲自己童年幻想的孩子，那个因为忘记了松尾芭蕉的俳句而被轻轻责备的女学生。

月子总听老师讲前妻的故事，可在这样的故事里，连情敌都不是情敌，而是一部分的老师。月子从老师家中清冷的布置、普通的火车陶瓷中努力去汲取他人生的细节，了解她的爱人。

想起曾听人说起国内一对著名的老少恋夫妻。友人在美国开车载这对夫妻游览，老人看着熟悉又陌生的景物，年轻的妻子在旁边说："你 ×× 年在这里读的大学，做了怎样的研究……"她在他人生的尾声才进入他的生活，把自己建成了他的一个活着的博物馆。

漫画里最真实的部分，是两人正式交往之后，老师因为担心自己的性能力而始终没有和月子发生关系。两人吃饭时，老师说："我真的觉得非常过意不去。"月子可以邀请老师试一试，可以说自己并不在意，甚至可以说只要亲吻和拥抱就可以了。但她终于什么也没有说，两人看着锅里的豆腐慢慢煮烂。

因为这个细节，这个故事就不仅仅是一个耽美理想化的纯爱故事，而被撕开了一个残忍的口子。

两人交往三年之后，老师病逝了，临死前把随身携带的提包给了月子，包里空空荡荡，什么也没有。

描述老人的恋爱，另一部让我印象深刻的小说是川端康成的《山音》，讲的是一个家庭的故事。年过花甲的信吾先生看着周围的朋友逐渐死去，家庭生活单调无聊。在这样没有出路的生命困局中，唯一的亮色是儿媳妇菊子。菊子的丈夫——信吾的儿子在外包养情妇，菊子的生活并不幸福，她对于信吾也有一种孩子般的依赖。

两人的情感淹没在大量生活琐事的描写里，隐蔽得几乎不能被发现，其中最露骨的情感描述，不过是菊子天真地对信吾说："今后凡是爸爸你看到的东西，我都要注意先看看。"信吾立刻想到自己一生没有过这样的情人。

信吾在秋天柔和的光线下，从背后打量着菊子从下巴颏儿到脖颈的线条,优美得无法形容的少女的线条。信吾因为预见这种少女的风采会因为线条的膨胀而消失,不禁黯然神伤。

没有永生不死的少女。

川端康成说:"一生中如果能写出一位永生不死的少女,那么我就此结束也可以了。"

如果没有先入为主的道德感,你会发现川端康成描述的老年人对于少女的欲望并不恶心。或许是因为他推翻性爱之情与崇敬之情间的屏障,他笔下少女对于老人的吸引力,不是年轻的身体,而是她们的象征意义。

2016.7.23 （星期六）

晚上去看足立区的花火大会。人非常多，都是穿着浴衣的少男少女。少女精心化着妆，少男讲笑话的声音因为兴奋而高得不正常。我几乎是唯一独自去看花火大会的，被人群推着走。

1786 年，歌德去了意大利，在《意大利之旅》中，他写道：

"在汹涌拥挤而不断前行的人海中晃荡，是一种奇特而孤独的经验。所有人都汇入这一条江河中，但每个人却都极力地想找出自己的出路。在人群之中，在躁动不安的气氛里，我第一次感到平静与自我。街上越是嘈杂和喧闹，我就越是安然自得。"

我却无法找到平静和自我。

花火大会很好看，焰火的形状丰富得超乎想象。坐在我前面草坪的是一个日本小姑娘，对着每个出现的焰火大叫"好美！好美！"有时，焰火还没出现，她就迫不及待地大喊出来。

2016.7.24 （星期日）

　　今天去看了神乐坂新潮社 120 周年展览，主要展览的是作家的照片。

　　新潮社是迄今为止日本文学界众多作品的主要出版来源，为了迎接创立 120 周年，它在保管的 15 万张照片中，选择了 50 位作家的照片举办展览。

　　说是展览，但其实简陋得只有一面墙——但是作家的形态生动又有生活感，不同于平常表演作家深沉的硬照，所以我倒看了很久。

　　村上春树、三岛由纪夫、川端康成的照片我没多大感触，毕竟是熟悉的脸。两个女作家的照片我却看了很久，一个是 34 岁刚刚获得直木奖的山崎丰子，她行走在熙熙攘攘的街头，同一个刚下了班的上班女郎没什么区别。山崎丰子写过《白色巨塔》《浮华世家》《不毛之地》等小说，每一本都是扎实的巨著，一生为了小说做的采访录音就有600多盘磁带，她是那种冷硬又热情的作者，比男人更男人。

另一个女作家是49岁的向田邦子，她坐在拉面店的柜台前愉悦地回头，仿佛听到友人的呼唤。她眉眼俊朗，显得精明能干，与她真实经历的爱情截然不同。

向田邦子被誉为"昭和民族的张爱玲"。看向田邦子和张爱玲的写作，确实有类似的地方：她们都爱写家庭与恋爱；都毒辣，爱写人内心的猥琐见光那一霎的窘，但两人还是有很大的不同。

张爱玲的小说总写"幻灭"，她的小说男主角总是留学生或者华侨：范柳原、佟振保、童世舫、章云藩……他们对于古老的中国有种幽幽的爱与怀念，爱投射到了女主角——"一个真正的中国女人"身上，交往之后，男人却发现那只是美丽的虚空、奢靡的残破，继而失望。

在向田邦子的小说里却是连一开始的希望都没有。她小说的主角大多数是大龄单身平淡无奇的女性，有点虚荣，有点自卑，渴望被爱，渴望被触摸，并且为着这些渴望放弃所有的尊严。在爱情中始于失望而终于失望，所有的温暖都是自己提供给自己的，她小说里的桃子说"只要发现一点好笑的事,就想趁着能笑的时候赶快笑"。她希望透过大笑来激励自己。

张爱玲宁愿让主角沉沦到底,也不会让她有这样令人绝望的乐观。

但是向田邦子必须乐观。她的父亲暴戾——外遇之后更加暴戾,她作为长女成了家中唯一的依靠,打理家庭,照顾弟妹,通宵写作,赚取家用。

按照偶像剧的路数,这样的女性应该被爱情救赎,家底厚实的伴侣握住她的手,接过她生活的负荷。但现实是,她的爱情秘密而隐忍,她没有被照顾,需要照顾的人反而多了一个。

照片里的向田邦子能干爽利,漂亮勤奋,穿衣潇洒。她每天下午三四点离开家,到恋人的住处。她的恋人 N 先生是一个比她大13 岁的有妇之夫——分居而不能离婚。男人不帅,胖胖的,和她一样高,身体不好,没有工作,生活拮据。

邦子给恋人做了丰盛的晚饭,两人聊天。有时女作家会因为太疲惫而睡着。她临走前,会为恋人准备好第二天的食物,晚上 11点左右回到自己家,母亲和妹妹已经睡了,她一个人躲在玄关没有热气的地方写作,写到天亮。清晨时,写作的地方已经被收拾干净,又变成连接玄关的冰冷空间。邦子为母亲和妹妹做好饭,整理琐事，工作，去恋人家……周而复始。

邦子和 N 先生的爱情从她少女时期持续到中年，贯穿了她人生的黄金时期。N 先生是她 20 多岁时工作的文化社的摄影师，在她年轻时或许有些作为前辈的光芒，但剩下的漫长岁月里都只是一个身体羸弱、精神脆弱的中年人，被盛年的女作家照顾着。

我们总爱用"心疼"去形容自己无法理解的情感。心疼不婚的女性，心疼门不当户不对的婚姻，心疼苦恋十几年而无法结婚的情侣。

那我们能够心疼向田邦子吗？

我曾经好奇为什么向田邦子能够保持那么旺盛的创作力，她一共创作了超过一千个剧本，超过一万个广播剧。仅仅是出于物质的压力，绝不可能如此勤奋，当我看到她拥有 N 先生这样的恋人，我似乎能够理解了一点。

她的恋人并不占据她的一点点生活。N 先生的无能，反而成为一种馈赠。他每天的生活就是围绕着邦子，最幸福的时刻是两人在家吃晚饭时亲密地聊天。邦子睡了，他就在一旁默默地看着她，内心想：赶快振作起来，迷途的羔羊。邦子不在的早上，他就听着她的广播，露出微笑。

N 先生在向田邦子生命中的意义，可以化作一道温柔的目光。

如果向田邦子嫁给一个能干的男人，跟他结婚生子，招待他的朋友，依附于他的生活，她便无法保持高产而专注地创作。

不必心疼不平等的爱情，因为爱情就是不平等。

我喜欢奥登的一首诗："我们如何指望群星为我们燃烧？／带着那我们不能回报的激情？／如果爱不能相等／让我成为那爱得更多的一个。"

向田邦子和 N 先生，是谁爱得更多呢？

N 先生在 40 多岁时毫无征兆地自杀了，或许是因为越来越孱弱的身体让他觉得生命没有希望。

向田邦子那一年被父亲赶出门，自己租了很小的房子继续创作。

十几年之后，向田邦子在 51 岁那年得了直木奖，舆论有不满，认为她不配。向田邦子说："我 20 年来专注文学，牺牲了妻子的身份和孩子，一切都牺牲了。身边也有走投无路而自杀的文学好友。在外界略有了点浮名，审查员给了个普通的奖，就有人让我辞退，实在怒不可遏。"

可仍有质疑，认为她太过年轻。

次年，52 岁的向田邦子死于空难。

2016.7.26 （星期二）

今天早上看新闻，日本发生了二战之后最血腥的一桩凶杀案。

凶手是神奈川县 26 岁的年轻人，他凌晨潜入曾经工作过的残障人安养院，杀了 19 个残障人——全部是割喉，伤了 20 多个残障人。

快速地作案后，他回到车上，拍了一张自拍照，在 Twitter 上发布，配上文字："祝世界和平！美丽日本！！"然后平静地驾车到警察局自首，警察逮捕他的时候，他在警车里向车窗外的摄像机微笑。

媒体曝出凶手向安倍晋三等呈上的作战计划书——以夜勤人员少的两家残障人安养院为目标，在分别杀光 260 人、470 人后自首，被逮捕后经过最长两年的监禁期，以精神错乱为由获无罪释放,再整容改名回归自由社会生活,需要 5 亿日元支援金,这一切都是为了日本和世界的和平,为了全人类。

新闻采访凶手之前的好友,他们都说那是一个很正常、看不出异常的年轻人。

一个正常人离屠杀机器的距离,其实并没有想象的那样遥远。

我曾研究过大屠杀,发现关于大屠杀,我之前所预设的一切几乎都是错的。

比如,二战中德国人对犹太人的大屠杀,令很多人感到崩溃,他们觉得这是文明社会的倒退,回到了原始人、野蛮人的阶段,是"现代性"的倒退。

但是当代著名社会学家齐格蒙·鲍曼在《现代性与大屠杀》里提出了一个发现:屠杀并不是现代性的倒退,而是现代性的证明。

大屠杀如此高效率地进行,依托的是官僚制度和社会分工的精密合作。甚至德国政府在招募特别行动队成员或者其他和屠杀现场接近的人时,也会格外小心地避开或者开除那些对杀人显得异常急切、意识形态过于狂热的人。

另外,这同样可以套用到屠杀中。人在杀人时克服动物性的同情,重要的条件之一就是暴力受害者被剥夺了人性。当受害者在杀人者眼中不是人,而只是任务和指标的时候,杀人就变得容易了很多。

比如这回屠杀残障者的年轻人并没有把残障者看作人类,而是为了实现"美丽日本"的理想而不得不牺牲的指标,他在完成自己给自己的绩效考核。

所以屠杀者往往在集体中更有干劲儿,同样是出于绩效考核的原理:如果团体被派给了龌龊的任务,成员之中只要有人没有做满自己应执行的数量,就等于加重了伙伴们的负担。

关于屠杀,学者有另一个有些惊悚的发现:差异越小的人越容易屠杀。

比如在波尔布特时代的柬埔寨,全国四分之一的人被柬埔寨人自己屠杀,因为太多柬埔寨人已经被外来的——尤其是越南的——思想"感染"了。

格罗斯在《邻人》里,讲在耶德瓦布内这个波兰城市,居民一半是犹太人,一半是基督徒,基督徒居民在第二次世界大战期间把 1600 名犹太男女老幼几乎杀光。

耶德瓦布内的犹太人被剖肠破肚、烧死,做出这一系列暴行的并不是所谓的敌人——纳粹组织,而是那些犹太人熟悉的面孔：向他们买过牛奶的人、与他们在街上闲聊的人。

在波兰其他市镇也发生过这种事。如果没有波兰人的配合，纳粹是不可能把波兰境内的300万犹太人杀掉90%的。

根据研究大屠杀的著作《为什么不杀光？》分析：这是民族主义里一种狭隘的"自恋"在作祟，因为族群之间的差异很小，所以必须积极地表现出来。两个敌对的族群要较量谁优良、谁劣等。

屠杀对于人性最终极的考验在于：当面临失控的极端环境，当杀人脱离了道德指责，你能够坏到哪一步？几年前我看过一部电影，拍的是印尼大屠杀——1965年发生在印度尼西亚的反共屠华清洗，军队把杀人的任务交给社会上的帮派分子和流氓，其中一名叫作安瓦尔的刽子手杀了1000多人。

电影《杀戮演绎》的主演就是安瓦尔，杀人狂魔本人。导演让他和当年的同伙故地重游，拍摄一部重现他们当年杀戮行动的电影。他们十分投入地拍摄自己当年怎么杀人，兴致勃勃地演绎被杀者死去的样子：他们的腿怎样抖动，他们的喉咙里发出怎样的声音。

按照心理学的说法，安瓦尔是属于"认知失调"的人，他们不断地找理由把自己可怕或者愚蠢的行为合理化。

小学里的夏祭，小朋友穿着浴衣看花火、捞金鱼，无忧无虑。第二天再穿回西装规规矩矩上班。东京到了春夏，有各种名目的"祭"，人们在祭祀中都显露出一种天真的本能、原始的狂喜。

从我的住处望下去的屋顶。我住在《挪威的森林》里绿子家一带。小说里，星期天的下午，渡边在绿子家的阳台上看火灾，他们弹吉他、唱歌、喝啤酒，看着弥漫的黑烟。然后，他吻了她。

直岛的地中美术馆，庄重的建筑风格，让游客专心聆听海浪拍打岩石的声音。

在岛上迷了路。我有迷路的特长，总是准确地走向正确方向的反面。

神保町的旧书摊，一个上班路上的白领驻足停留。第一次知道神保町时，我还在读高中，看了侯孝贤的电影《咖啡时光》，男主角是神保町旧书店的老板，总是在拥挤逼仄的旧书架间低头微笑。男女主角在旧书店度过一个又一个下午，他们之间涌动的情愫和互动却被导演删去了，只剩下一种弦外的回音，一种痕迹，就像飞机飞过天空留下的痕迹。

京都的游客。我初次到日本时，喜欢京都的历史与文艺，觉得东京不过是个国际化大都市。长久待下来，却发觉京都的文艺是观赏性的，让游客不住赞叹好山好水好树好庙，就像在京都龙安寺看着名的枯山水，所有游客静心闭气、硬参生死，游客也成了景观的一部分。身处东京，却感觉到了一种日常的丰富，那文艺像是鱼身处水中，因为无不在，所以让人毫无知觉。

町田某个小学的运动会。落了单的儿童在不被注视时，没有羞涩，没有谄媚，甚至没有天真，只有一种不设防的复杂

下班晚高峰的地铁站。日本是一个不鼓励人实现个人价值的地方，它鼓励人"做最好的自己"，以此来服务社会，但并不鼓励人发展出对抗社会的精神力量。这或许是为什么日本最伟大的艺术家们都是叛逆的黑羊。

小岛上一只晒太阳的昆虫，如匍匐着的战士。

从地铁站步行回住处看到的月亮。我喜欢走一条贴着电车轨道的路，仰头就可以看到车厢里的人奔赴在生生灭灭的每一天。某天夜晚出现的月色美得惊心动魄。车厢里没有人注意到，月亮就兀自闪耀着，原始、纯真而完整。

这也是为什么往往在杀完第一个人之后，杀戮就会变得容易。因为杀人者要不断杀戮，逐渐通过这个过程为自己找到杀人的正当理由，比如：我是在执行命令；他们不是常人；他们是有害的、污染的。当杀人变得常规化，杀人者的认知失调也逐渐减少了。

安瓦尔和他的同伙就属于完全说服自己"杀戮即正义"的一群人。直到他扮演被自己审讯杀死的受害者的角色，被"自己"用钢丝勒死的时候，他才崩溃到无法拍摄。

那一瞬间，他所有说服自己的理由全部崩溃了。

这个电影最可怕的并不是展现杀戮的残酷，而是让观众怀疑自己：我是否也像安瓦尔一样不断把自己的行为合理化？我是否活在自己造的梦中？我会成为杀人狂魔吗？我的正义凛然是否是正确的？坐在观众席上的我是不是一个好人？我能否继续做一个好人？

关于屠杀的一切，让我不知所措，直接经验和想象力的匮乏使我对其怀疑，不敢相信文明之下仍有如此野蛮的行为，而这种怀疑是危险的。只有直视人性异化的可能性，才能让我对自己保持警觉。

2016.10.10 （星期一）

今天在东京都美术馆看了画展，画展叫作《凡高和高更——现实与想象》，以凡高和高更在"黄房子"里同居的 62 天为线索，展示两位画家的人生。

展览上画作不多，也没有两个画家最精彩的作品，但布展极精致。

"黄房子"在法国的阿尔小镇上。1888 年，凡高搬进这个便宜破败的公寓。公寓设计得很不合理，楼层局促，空气不对流，夏天闷热至极，冬天寒冷难耐。凡高却宣布他找到了天堂，他说从屋子里可以俯瞰一个非常漂亮的公园——实际上公园里尘土飞扬，影影绰绰的人往往来自对面的妓院区。他喜欢房子下面通宵营业的咖啡馆，宣称看到了"地道的左拉小说里的场面"，然而咖啡馆里全是落魄的流浪汉和伤心人。

在"黄房子"里，凡高滋生出一个热情而浪漫的幻想：他要把这里变成艺术家的乌托邦，一个"老马"们的乌托邦。凡高把不成功的艺术家比作"老马"，老马拉着客人们去享受春天，自己却什么也没有——凡高年轻时画过老马的素描，一匹在煤气厂干得累死累活的白色老马，从它凸起的骨头和垂下的头中，他看到了自己。

凡高设想出一种生活：把落寞的艺术家集中在"黄房子"里创作，让他的弟弟提奥来做他们的艺术经纪人，从此"老马"生活在阳光下的草地和河边，有其他伙伴相伴，行动自由，爱情自由。

这个设想让凡高激动，不仅因为他为这个理想图景着迷，还有一部分原因是他解除了自己身上的道德压力。凡高一直靠弟弟提奥提供的资助生活，而"黄屋子"的模式能够把他对弟弟寄生虫一样的依赖，变成挣扎的艺术家们共有的道德权利。

凡高理想的同居伙伴叫作保罗·高更。

两人相识于几年前，都在印象派的边缘游走。凡高对于高更的情感复杂，夹杂着崇拜与嫉妒，最重要的是，他想象有了高更这个同居者，自己深刻的孤独会得到缓解。

春天，凡高给高更寄出了第一封邀请函。信里开出了颇为诱人的条件：阿尔天气明媚，女人漂亮；提奥每个月会寄给我们250法郎的生活费；我们每两周可以去一趟妓院……

高更是个什么样的人？很多人对他的认知来自于毛姆的小说《月亮与六便士》，小说主角思特里克兰德以高更为原型：曾是一个股票经纪人，爱上了艺术，离开了熟悉的生活去追寻艺术的真实，然后沦落街头成为码头工人，又把自己流放到太平洋的小岛上，疾病缠身，寂寞死去。

这本小说让很多文艺青年动容，毛姆把人分成"人们"和"他"。当人们在捡散落满地的六便士时，他却抬头看见了月亮。

为了眼前的月光，艺术家可以承受孤僻、寂寞、贫穷、失败，赤脚走过生活的刀锋。

高更的妻子看了这本小说，说小说主人公和自己的丈夫毫无相似之处。真实的高更，即使符合毛姆所描述的一切经历，也不是毛姆描述的那个人。

高更并不是一个失败的艺术家，他画卖得不错，个性也不孤僻，很有人格魅力，在艺术圈子里不乏追随者。其中一个追随者是个叫作拉瓦尔的年轻画家，家境富裕，一个典型的中产阶级的孩子，对"导师"高更所描述的热带异域风情充满了憧憬，和高更一起坐船去加勒比海。

高更和拉瓦尔停留在巴拿马的科隆，这里人口拥挤，环境恶劣，拉瓦尔很快得了黄热病，每日在床上呻吟，高更对他的痛苦冷漠以待。高更的冷漠不仅仅是对拉瓦尔，当他自己的孩子从三楼摔下来，他在给凡高的信里漫不经心地提到这个新闻，而且主要是抱怨医治的费用太高。很快，高更也生病了，当他终于筹到回法国的旅费，拉瓦尔的病依然很严重，高更撇下了他，自己回到了文明世界。

另一边，不知道凡高对于高更深入骨髓的冷漠有没有预感，他像是等待新郎的新娘一样兴奋，花了很多钱添置家具，装修了画室，把大的条件好的房间留给高更，把厨房留给自己。他还为了让即将到来的高更印象深刻而拼命作画。

经历了漫长的等待、焦虑的催促、不断寄去的旅费，高更终于敲响了"黄房子"的门。

门打开之后，惊讶是双向的。凡高想象高更是憔悴虚弱的，他没有想到高更竟然如此健壮，而高更则被自己客房挂的那幅作为礼物的《向日葵》震惊了——一幅完全由黄色构成的画，黄色的背景中，黄色的桌面上放着黄色的花瓶，里面插着黄色的花。当其他画家谨慎温柔地在画布上涂抹颜料，凡高用颜色强奸画布；当别人批评他的色彩过于明亮，他就画得再亮一些；当提奥抱怨他画得太快，他就画得更快。

凡高最喜欢用的颜色是黄色，高更最喜欢用的颜色是红色——这仅仅是两个人最小的差别。高更不相信眼前看到的世界，他认为作画靠的是灵魂而不是双眼，要画一个被内化了的世界。他后来在塔希提岛上画那幅著名的《我们从何处来？我们是何许人？我们往何处去？》，画婴儿、老妇、女人、青年，形色各异地在蛮荒狂野的背景中展示肉体，那幅画没有用任何模特。而凡高，则坚持自己什么也不想，只是观看和感受。

即便眼前是同样的风景，两个人画出来的也截然不同。都是画阿尔的葡萄丰收季，凡高的画充满了丰沛的能量，色彩斑斓，画中劳作的妇女沐浴在热情扩散的阳光下，如同享受烈火灼烧。而高更画的主角却是一个闷闷不乐的妇女，手被葡萄染红，青黄色的脸布满阴郁，似是不满眼前及未来。

任何亲密关系——不仅仅是两性关系，都会演变成一种权力关系。朝夕相处分享情感的两个人势必会分出精神上的强弱，当权力关系逐渐变得清晰，强者无论做什么，都成了对弱者无声的鞭挞和欺凌。

高更无疑是两个人关系里的强者，他的画很快就被凡高的弟弟提奥卖出了好价钱。有生以来第一次，凡高要求弟弟放弃出售自己的画作。这样,他就可以宣布自己的画是被藏了起来,而不是无人问津。

高更的才华让凡高嫉妒又惊讶。凡高并不是一个纵欲糜烂的艺术家,他的理想是做一个纪律严明的苦行僧式的画家,除了为了"保健"的目的每两周去一次妓院,他认为艺术家应该把所有的元气都投入到作品上。高更在女人群里显得游刃有余,这令凡高感到很惊讶,"他在创造孩子的时候,竟然还能创造作品"。

高更依仗自己的性格魅力,很快就找到了模特——咖啡馆的老板娘,凡高在高更作画时蹭他的模特,迅速画了一幅肖像。高更画的咖啡馆老板娘颇有风情,托腮媚笑,那笑是几十年的职业病落下的——收不回的讨好。她微微斜着眼睛,身后是醉倒的客人。看画的人和醉倒的客人一样,都觉得在这老板娘身上可以发展出种种微妙的可能性。而凡高画的老板娘则是一个若有所思的中产妇女,面前甚至放着两本书——像是凡高为她凭空想象出的尊严。

高更否定凡高的作画方法,要凡高像他一样凭借记忆和想象作画。高更甚至不屑用凡高研磨的颜料。

凡高作为两人中的弱者,亦步亦趋地听从着高更对他的建议,暂时放弃他看到的旋涡般炫目的星空和烂漫得让人心惊的麦田,转而求助妄想和幻觉,他表现得谦逊而谄媚。我在画展中看到的最让人动容的画,是凡高画的高更的椅子。

那是凡高为高更这个贵客添置的漂亮椅子,曲线的扶手和凡高自己那把结实的松木椅形成了鲜明对比,绿色的墙壁与昏黄的煤油灯显得典雅。椅子上放了一支点燃的蜡烛和几本小说。

这幅画缠绵如情书,因为凡高想画的当然不只是椅子,他想画的是高更,可他没有勇气让高更做他的模特。凡高自己承认:"我想画的是那个'空空的位置',那个缺席的人。"

因为高更已经逃跑了。

虽然任何关系都有强弱之分,但更受折磨更痛苦的却不一定是弱者。弱者示弱,不断暴露和展示自己的弱点,你无法指责他,类似病人先发制人地把自己的疾病当作挡箭牌,呕吐般宣泄着自己的可怜。弱者姿态低无可低,强者被逼得退无可退。

如何想象和凡高同居的生活?非常简单。坐下,打开一瓶苦艾酒,然后大声地一封封念凡高的信,你没有办法关小音量,没有办法要求他中断,只能倾听他不够连贯的哀求与呓语。

高更后来回忆,他经常半夜醒来,发现凡高站在自己面前瞪着自己,被高更大声呵斥之后才回去睡觉。

高更在圣诞节前夕离开了,几乎是同时,凡高得知弟弟提奥订婚了。他过去总能从一次次崩溃中恢复,这次他没有,他割下了自己的耳朵，想把耳朵交给高更最喜欢的妓女，但是妓院的守卫拦住了他。凡高交给守卫一个包裹，嘱咐他捎个口信："别忘了我。"

并不像大多数人以为的那样——凡高割完耳朵，高更逃之夭夭之后，两个人的关系就彻底结束了。在从医院出来之后的很长时间里，凡高都在为想象中高更的赞誉而画，他努力回忆这个前室友曾经说过的含混的赞美，并且以此作为自己绘画的指导。

一年半以后，凡高去世。十几年之后，高更去世。几十年之后，"黄屋子"毁于二战。

凡高和高更同居生活的故事让我惊恐，是因为我虽然没有过同居的经历，但我几乎能完全地理解凡高——在一个封闭的空间内，像贪得无厌的血蛭一样寻求赞同、爱和理解。

凡高生长于一个宗教家庭，一个靠德行而非情感维系的世界。史蒂文·奈菲和格雷戈里·怀特·史密斯合著的《凡高传》中这样描述凡高家的孩子所生活的世界："这是一个积极总会被消极中和的世界；这是一个赞美总会被期许冲淡，鼓励总被预兆折损，热忱总被谨慎浇灭的世界。离开牧师公馆这座孤岛后，没有哪个孩子能摆脱极端情绪。对此，他们麻木迟钝，毫无经验，只能手足无措，眼睁睁地望着失控的情绪毁掉自己。"

我同样从小生活在一个不鼓励表达情绪的世界里，有一个以木讷平静作为最高标准的童年，长大之后，从事的工作却像一个孤独的矿工——每日不知疲倦地深掘自己内心所有隐秘幽深的角落，使之暴露。

当我有一日与人共同居住，我会不会像凡高一样，因为终于有人缓解了自己的孤独，而变得谄媚又可悲？

更可怕的是，我是否会把同居的对方当作从天而降的天使，自己为他添上光环，拙劣地模仿着他，直到有一天他受不了情感的负重而离开，我痛苦得有如自身的一半死去了？

或许对高更和凡高来说，有才华的人应跌跌撞撞地独行，可以相望，但不必相遇。

遥遥相望，反倒生出许多带着暖意的回忆来。

高更后来在塔希提岛上画的画里，出现一匹白马，垂头丧气，隐身于蓝色的阴影中，就像凡高所自喻的"老马"。

在展览的最后，展出了高更在凡高死后十几年画的凡高的椅子，椅子上放满绚烂绽放的向日葵。

这个无情的同居的故事，因为迟来的理解与怀念，竟有了一个温情的结束。

2016.10.15 （星期六）

　　去看了濑户内海艺术祭。

　　离开东京的时候，天气很阴冷。我那天早上又莫名其妙地闹脾气，气鼓鼓地去东京站坐新干线。全日本没有比东京站更让我觉得惶恐和孤独的地方了，很多穿着黑色和深灰衣服的人们，拿着屏幕碎了的手机——我也不知道为什么我看到日本人的 iPhone 超过一半屏幕都有裂痕，他们焦急地奔跑向检票闸口，仿佛急着汇入一条江河。

　　在生活中的大部分时候，我是没有目的地的人，所以惶恐。

　　我这次却少见地拥有一个目的，去看濑户内海艺术祭。

　　那是三年一次的艺术展，今年是第三届。世界顶尖的艺术家在濑户内海的十二个小岛和港口设计了各种奇妙的建筑和装置艺术。濑户内海曾经很美好，后来因为二战后社会追求富裕和发展，环境受到了很大破坏，地表缺乏绿化，光秃秃地裸露在阳光下。岛上堆砌着废弃物和工业垃圾，又因为老龄化社会而丧失了活力，整个地区因为被遗弃而变得荒芜。艺术展的策展人选择这里作为舞台，是想试试能不能把环境如此恶劣的地方也构建成乌托邦。

我坐新干线向南，窗外的天气变得越来越晴朗，接近夏天。我贪恋暖洋洋的阳光，忘了下车，一路坐到终点站广岛，看到身边只剩下金发碧眼的老外才发觉不对，匆匆上了一趟折返的列车。

到目的地冈山是下午四五点，红色的斜阳美得壮烈。这是一个没什么特色的地方，就是天气好得出奇，是日本雨量最少的地区之一，气候温暖而稳定。这里有点像电视剧里模糊的配角，人设只有"善良"两个字，没有特点，没有过去，只有欢乐；没有柔情，只有烦恼，没有忧伤。

第二天一大早，我从冈山坐一个小时的电车去宇野港，再坐二十分钟的船到艺术祭布展的岛屿之一——直岛。

可以把直岛看作建筑大师安藤忠雄的游乐场，岛上最重要的艺术作品几乎都是他设计完成的。

印象深刻的是地中美术馆。那是一个看不见的建筑，在设计上把建筑物的全部体量完全埋入地下。平视时只见平淡的丘陵凸起，见山就是山；俯瞰时才能看见几何空间的轮廓、天井和采光口。

入口非常隐蔽，是一个狭窄幽深的混凝土走廊，只有侧面墙体的缝透出天光来。工作人员穿着医生一样的白大褂，语气轻柔，表情平缓，所有游览者都以一种颇为可笑的蹑手蹑脚的姿态进入美术馆，仿佛是死后在工作人员的带领下进入异度空间，害怕坏了阴间的规矩。

窄的走廊之后是更为宽阔一些的走廊，天光亮了些，可墙壁依然冰凉。外侧的墙面只有一道不到半米宽的缝隙，阳光从中照射过来，缝隙刚好在人的头部位置，远看走廊，只能看到一颗颗在明暗变化中快速行进的头，如同中世纪僧侣低头快行，赶去宗教裁判所。冰冷的切割线条和外部葱郁的绿意界限分明，自然近在咫尺又触不可及，绝望的人更加压抑，斗士则感觉到力量。

我喜欢安藤忠雄苦行僧式的建筑。可能因为缺乏才华，我从小就酷爱看人与天斗、与地斗、与自己斗的故事，安藤忠雄的成名作——住吉的长屋简直是我梦想的工作场所。

那是他 1976 年设计改造的房屋，和地中美术馆风格一样，狭长的混凝土建筑，监狱一样单调的灰白色，没有空调设备，而是直接用住宅本身保持通风。建筑中间有个狭长的庭院，目的是把自然导入到住宅中，缺点是下雨需要打着伞冲过中庭才能去厕所。

安藤忠雄原来在讲座里提到过，他改造的住宅，业主抱怨最多的是"你把风啊雨啊引到宅子里，好冷啊"，安藤说："这种程度死不了人的。"

他讨厌舒适快捷温馨的公寓，觉得和自然肉搏才是人的自然状态。

说回地中美术馆，它有三个展厅。第一个展厅是美国艺术家的装置艺术。在巨大的空间里，一个巨大的黑球放在高高的台阶中央，球反射出天花板上一小块长方形的天空，像是它的眼睛或嘴。周围有金色乖巧的柱状物。这个装置艺术叫作"Time/ Timeless/ No Time"，在我眼里却和时空没什么关系，黑球像是绝对权力，它并非是漆黑一片的黑色，它身上也映出一小块自然的光线，里面有叽叽喳喳的阳光，甚至偶尔还有鸟影。它随着光线的变化像是咧开了嘴笑。它诱你接近，可真接近了，却发现那只是幻象，它依然只是一个冰冷的球体，给周围带来强大的压迫感。

第二个展厅是一系列的灯光作品。其中一个展品体验很奇妙，房间有几个台阶和一块发光的紫色屏幕，这屏幕其实并非真实，而是用灯光营造出效果的房间，你可以一直往这里走，走到屏幕里面去，走到另一个世界去。

第三个展厅展出的是莫奈的《睡莲》。我过去在网上和书本上看《睡莲》时很不喜欢，觉得太温柔，太中产阶级趣味了，那时更喜欢怪异或磅礴的画法。

去年去了巴黎的橘园美术馆，才被360度环绕的巨大《睡莲》震撼，哇的一声叫出来。

因为已经被震撼过一次，所以地中美术馆的莫奈并没有让我惊艳。反而是出了美术馆，在很容易被错过的道路边看到一小片的静水，阳光透过葱郁的绿意斑驳地投射在水面和荷叶上，水边有一个很隐蔽的仅供一人站立的地方，从那方向看去，和莫奈看到的睡莲风景一模一样。这时才感叹设计师的温柔。

中午在地中美术馆的咖啡厅吃饭，正对着一整面海。天气好得惊人，残酷的湛蓝色静谧地和海水连成一片。

想起村上春树的《海边的卡夫卡》讲少年逃到濑户内海，和朋友看海："只是望着微波细浪宛如被提起的床单一般地说爬上岸来，又低声溅碎。海湾里几座小岛也隐约可见。两人平时都不常看海，现在怎么看也看不够。"

是怎么看也看不够啊！我过去偶尔脱离城市生活，看了一会儿山水，就急于重新评估自己的内心——看看得到了多大程度的洗礼，恨不得有个"清除了95%的垃圾"的进度条。后来我发现没有得到什么洗礼，唯一的好处就是重新让我接受了"永恒"这件事。城市生活久了，除了无线网络信号是永恒的，其余的世界则丧失了它的永恒性。自然的宁静和理性，与人类的狂热和疯狂作对。看山看水，其实是以山水的目光看自己，看自己的短视和狭隘。

地中美术馆以外，还看了安藤忠雄为韩国艺术家李禹焕设计的美术馆，但那韩国艺术家的作品我实在理解不了，不断发出"这石头有啥可看的""这我也能画"等低素质的感慨，所以按下不表了。

傍晚离岛之前，去看了著名摄影师杉本博司改造的护王神社。

连接神社本殿和拜殿的台阶是透明的。杉本博司当时想采用一种又古又新的素材，让光能穿透，又能化为人类膜拜的对象。考虑过用古坟中陪葬的玉，或者琢磨过的水晶，最后用的是比空气还透明的尼康光学玻璃，一级台阶两万人民币左右。

神社的另一部分是地下的石室，进入石室要走过一段在山腹中挖凿出的细长隧道。我去的时候天色晚了，管理员爷爷给了我一个手电筒，往更黑的地方走，忽然，眼前出现一片近乎幽暗的透明，同样是直通地上的玻璃台阶。

这台阶仿佛是远古留下的神迹，几千年前的人为死者搭建的天梯,到光明处去,到光明处去,固执地、绝望地,只因为落暮时分听到的低沉咆哮:到光明处去。

杉本博司大概是相信视网膜可以穿透时间,他喜欢拍摄的对象是人类历史上变化最小的东西,比如水和大气。看杉本博司,我们和最初的人类凝视同样的东西,因此时间不再是线性前进的,而是错乱甚至循环的。博尔赫斯说,我们有两种看时间大河的方式,一种是看它从过去穿行过我们,流向未来;另一种是看它迎面而来,从未来而来,越过我们,消失于过去。杉本博司让人同时看见这两条相向的大河,人短暂地战胜了时间,获得了小小的不朽。

从石室上来,再次经过那条小小的细长隧道,如时间隧道一样,黑暗中只有一条方正而晶莹的海,像是人刚来世上时,初次映在视网膜上的倒立虚像。忽然想到杉本博司曾经引用过的僧侣西行的诗:"奥义虽不解,惶恐泪潸然。"

第二天,我去了丰岛。丰岛和直岛很不一样,人烟稀少,房屋更破败,找了半天吃饭的地方,也只找到一家租自行车铺兼做乌冬面,菜单写在石头上,却有种荒凉的野趣。

丰岛美术馆曾经被我大学建筑系的同学大力推荐过,他三年前来看过濑户内海艺术祭,对丰岛美术馆大加赞赏,说:"如果说安藤忠雄还满是手法，那么西泽就完全忘乎所以了。"

建筑师西泽立卫和艺术家内藤礼合作设计了丰岛美术馆。它在一片靠海的梯田中，宛如一颗水滴。如果说地中美术馆是"看不见的建筑"，那丰岛美术馆就是"柔软的建筑"。整个建筑竟然没有梁柱，也没有墙，完全是靠钢筋混凝土本身的结构来支撑。

入口做得很小，最多可以同时进入两人。进入之后，是一个曲线神奇的建筑，仿佛是被呼吸塑造一样摸不清形状，穹顶有两个大的洞口，一高一低，露出天空和飞鸟。我从没进过如此空旷自由的空间，四周只有洁白圆润的微光，不经人世，心无动念。

虽然叫作"美术馆"，但整个空间只有一件艺术品，就是水。

艺术家内藤礼把地下水引流到美术馆的地表，地表上有无数两三毫米的小孔，水从小孔中涌出，因为地表有着非常不易察觉的倾斜度，所以水珠以不同的速率流动、汇聚，成为水流，汇入水洼，水洼恰在洞口下，犹如小小的湖。

所有人都如痴如醉地趴在地上观察水珠的流动。我第一次发现水是这样的，像毛毛虫一样拉伸自己的身体，追赶同类，渴望和它们融为一体。因为受倾斜角度和环境影响，水珠经常在半路停止了流动，我发现自己竟然握着拳在给它们加油。

前两年我在巴西的海滩看海，见黑暗中的海浪并未变得平静，

雨男

蒋方舟

刚恋爱的时候,蕊生总爱问羽柴先生:"你还记得我们第一次见面吗?"

每到这时,羽柴先生就会露出有些窘的表情,几乎透明的耳朵开始变成了粉红色。他越是窘,蕊生就越有种恶作剧的心理,想听他复述一遍又一遍,因为那是她胜利的记忆。

第一次见面时,羽柴先生是别人的男朋友。

那时蕊生在油画系读大四,名声在学校传得很开。一半是因为画得好,一半是因为长得好。蕊生的长相从婴儿时期开始就毫无风险,白皮肤,大眼睛,一笑小圆脸上就长出一个尖下巴来,是服务性行业海报上那种看了舒服却毫无辨识度的脸。

临近毕业的时候,她参加某美术馆举办的"当代艺术院校大学生年度提名展",作品从4000多件投稿中脱颖而出,得了银奖。

得了奖要请同学们吃饭,饭局选在学校附近的一家川菜馆,蕊生订了最大的包厢。那顿饭虽说是庆功宴,氛围却很怪。大四正是人心惶惶的时候,同学们对"社会"这东西有盲目的崇拜与恐惧，如同脱网的鱼马上要被放逐大海觅食，而蕊生半只脚已经踏上了陆地，其他人自然忍不住嫉恨，越是嫉恨越要讲笑话掩饰，假装团结活泼，可气氛总是热络不起来。

到了晚上八点，众人眼看无话，有人开始玩手机。蕊生把面前的水杯转来转去，也找不出话题来，饭局眼看要散。这时，包厢的门被推开。

是倪红来了，身边还带着一个男人。

倪红和蕊生并称油画系"双姝"。同学们谈起蕊生时会说"油画系有个姑娘长得挺漂亮"，但却都形容不出她的长相。倪红则长得很有特点，她颧骨很宽，正面看眼角到太阳穴的距离能再长一对眼睛，身材高瘦，骨头架子却细得像一个女童。这两年她迷恋伊藤润二的漫画，留着漫画人物"富江"的发型，厚厚的齐刘海，眼角还点了一颗痣。

这天倪红穿着薄而贴身的浅色吊带长裙，远看像游来了一条剑鱼。她身边的男人和穿了高跟鞋的她一样高，穿着衬衣和西装，拎着半旧的黑色公文包。

倪红介绍："这位是羽柴先生。"

同学们立刻怪叫起来。羽柴先生微笑着半鞠躬跟大家打招呼，男生们乱叫着"雅咩蝶""一库一库"这种 AV 里的日语，羽柴先生也不恼，笑着给大家发名片。名片上的头衔是 NEC 东京总部的职员。

倪红和羽柴先生坐在蕊生对面。蕊生笑道："倪红，介绍一下你的男朋友啊。"

倪红慌忙摆头，说："不是男朋友，羽柴先生是我日语班同学的朋友。这次他来北京出差，本来找我那同学当导游，结果那人太不靠谱，临时去外地，把羽柴先生甩给了我。"

她把他形容得像一包水泥，蕊生看到羽柴的眉毛很不自然地动了一下。蕊生替他不平，越发轻视倪红了——不，或许是因为她本身轻视倪红，所以替羽柴不平。

蕊生用英文跟羽柴先生搭讪。他开口，很慢很笨地说着中文："我说中国话。"

蕊生笑道："您会说什么中国话？"

羽柴夹起一块口水鸡，说："好吃。还有……"侧了侧头，笑道："日本鬼子。"

众人都笑。羽柴也低头笑，露出两颗虎牙，脖颈还是挺得很直，有点女相，像是被训练得规规矩矩的艺妓。

饭局的气氛热络了很多，大家像逗孩子一样逗羽柴，说口水鸡里面加了婴儿的口水，说什么羽柴都信，他微微向前倾着身，恍然大悟道："啊，是这样啊。"倪红淡淡笑道："你别信他们。"

这之后，在任何对话前，羽柴都求助地看着倪红，像依赖母亲一样问她："是真的吗？"倪红因为蕊生得奖的事不大愉快，半真半假地跟着大家敷衍羽柴，像心不在焉的保姆应付孩子。

蕊生心里也发堵，不知道是因为羽柴依恋的神情，还是因为这顿饭让倪红做了主角。正聊得热闹，她突兀地高声说："不早了，都撤了吧。"

到饭店门口才发现下雨了，其他男生还没反应过来，羽柴先生就冲进雨里打车。好不容易打到一辆，他让蕊生上车，临关车门，蕊生问："那你们怎么办？"羽柴说："倪红小姐送我回酒店。"

"小姐"和"酒店"两个词的组合太刺耳，倪红别扭起来，对羽柴说："你自己回去吧，我不送了。"蕊生也下车，推辞着不肯走。后车门开着，雨飘进车里，形成一个小水洼，司机不耐烦地说："开完会没有呀？"混乱中，倪红一人上了车，出租车发出刺耳的尖叫，很快开出去。倪红探出头来回望着两人，风把她的头发黏在车身上，雨丝和灯光交织下，她的脸有些凄楚，张了张嘴，终究是没说什么。

蕊生和羽柴退回到餐厅大堂，要了两杯热茶，两人朝着门并排坐着，看门外的雨。餐厅装修成古风，门口有两头石狮子，一个穿旗袍的女服务员坐在门槛上用手机看韩剧，没注意到自己粉红绣花鞋被雨泡成了暗红色。蕊生觉得自己也变成了外国人，欣赏起生机勃勃又颓败的奇幻中国。

羽柴给蕊生递过一块黑灰格的小毛巾，他手指粗短，指节上有黑色的绒毛，指甲修剪得干干净净。

蕊生说："雷阵雨，一会儿就停了。东京总下雨吧？"

羽柴说："是。我喜欢下雨。"

蕊生一边用小毛巾擦脸，一边说："我也喜欢。"毛巾上还有洗衣液的柠檬香，在羽柴先生后裤兜里待了一天，沾染了他身体暧昧的味道。蕊生不知为什么幻想他洁白背上的脊柱骨。

羽柴说："你听过日本雨女的故事没有……我不知道中文怎么说。"

羽柴用手机查了网页给蕊生看，是日本的传说：

"雨天，一女子立在雨中，如果这时候有男子向她微笑，示意她共用一把伞的话，那她就会永远跟着他。此后，男子就会一直生活在潮湿的环境中，因为普通人难以抵挡这么重的湿气，所以不久就会死去。"

蕊生离羽柴很近，看着他的侧脸：很熟悉却又明显外族的长相，鼻子像西方人一样高挺，鼻头下坠，显示出他的阿伊努人混血。几千年前居住在北亚的阿伊努人被不断驱逐，失去家园，残居在日本北部，被明治政府称为"旧土人"。落寞的种族在相貌上总闪烁着羞怯。蕊生心里荡漾了一下：他是异乡的异乡人。

她说："后天我去美术馆领奖，你没事的话去看看吧。"

领奖那天，羽柴先生穿了浅蓝色衬衣，蕊生上台领奖的时候，他给蕊生照相。蕊生后知后觉地朝着镜头笑，他却刚好放下相机，蕊生正对着他的眼睛——覆盖在浓密睫毛下优美下垂的形状，像她写生时画过的一匹幼马的眼睛。

几天之后，羽柴先生去蕊生的公寓，把照片拿给她。

"很不错的公寓。"他脱了鞋子,弯腰把鞋子整齐地放在门口。

蕊生没有答话。这公寓是一个著名画家租给她的,颁奖那天,画家也来了,作为评委给她发奖。他面色威严平静如菩萨,递奖杯给她时,她感到他的手凉而滑腻。想起他压在她身上,有时很久一动不动,她那时总想象他逐渐变成了一尊大理石像。

公寓里散落着蕊生的画,她绘画的启蒙是大卫·霍克尼,一个把作品泡在爱欲里的同性恋画家。她也像他一样爱画树,还没画完的一幅是粗壮的树丛搭出一片绿,树下流过一条粉红色的河。她的画都很大,客厅当工作室,只有一张矮桌当餐桌,旁边放着几个斑斓的大垫子。蕊生在剩余的空间都放上植物,最多的是一盆盆粉掌,绿叶托着直立的粉色佛焰苞。

整个屋子性的意味太过强烈,羽柴先生落座的时候很尴尬,像坐在一堆生殖器里。

他把一个透明的照片夹放在桌子上,说:"我把照片洗出来了,可以吗?"

蕊生笑道:"当然,谢谢你。"

羽柴又从包里取出一个木制小相框,他把蕊生拿着奖杯朝镜头笑的一张框了起来,说:"这张很好看。"

蕊生看到照片里那著名画家站在自己身后,有权势的中年人总容易显示出中年妇女的相貌特征,在照片里格外明显。她把相框顺手扣在身后，说："想听你聊聊自己。"

羽柴说了很多话，说了自己的工作，说了自己的学生时代和童年。他中文不好，说话很慢，只会用最简单的语言表达自己的情绪："我幸福""我难过""我气"。蕊生觉得这样的语态很有些性感，一直微笑。

羽柴停了下来，说："我想喝点水，可以吗？"

蕊生端水给他，坐在他身边，说："你们日本人真有礼貌，做什么都要问'可以吗？'"

羽柴说："我吻你。可以吗？"

换作蕊生不好意思了，久经沙场的她也乱了手脚，红着脸说："可以啊。"

羽柴扶着她的后脑勺，认真地吻她的嘴唇。她意外地发现他的吻很强势，濡湿的唇像下了一场暴雨。

他们在这小公寓里待了三天三夜，之后的一周蕊生简直患了"幻肢痛"，总觉得有一双毛茸茸的腿缠绕着自己的腿。从床上下来的时候，他们就在阳台上看天色，蕊生给羽柴讲画，楼下密集平房斑斓又半旧的屋顶像保罗·克利的画，夕阳西下时流动变幻的天色像莫奈……

羽柴把双手撑在蕊生的膝盖上，凑近凝视她的眼睛，然后轻叹口气，感慨："我真喜欢艺术家。"

蕊生说："倪红也是艺术家。"

羽柴很认真地想了想，说："你比她有生命力。"

羽柴拖到回国的最后一刻才走，他在阳台上紧紧拥抱着蕊生，下巴抵着蕊生的头顶，过了许久，忽然轻笑道："我哭了。"蕊生感觉到他的眼泪落在头顶，虽然难过，但更多的是诧异和好笑，心里给自己的传记写了庸俗的开头：多年之后，她依然记得生命中出现过这样一个骨肉皮都干净得剔透的男孩。

他感到她在心里给他写了个句号，用力握着她的肩膀，皱着眉命令道："你不离开我。"要她答应了才放手。

蕊生愣了下，笑道："日本鬼子。"

他是认真的，回日本之后，他每天晚上下班以后用手机跟蕊生视频聊天，像家养宠物一样眼巴巴地盯着屏幕里的她，连她刷牙都看得津津有味。

羽柴下班晚，经常晚上十点才开始和她视频。著名画家每晚六点要回家陪老婆孩子吃饭，时间岔得开。这一天，著名画家竟然陪她吃了晚饭，两人又步行回公寓。画家侧卧在地上看画册，蕊生在一旁心神不宁地画，不敢问他几点离开。九点多，蕊生的手机颤动起来，是羽柴呼唤她视频聊天。蕊生按断了三次，羽柴发来短信问："你怎么了？？？"

蕊生心跳如擂鼓，忍不住到阳台上给羽柴打电话，说自己的父母来了。羽柴一连串道歉，末了笑着埋怨道："你刚刚吓我了。"

挂了电话，蕊生回到客厅。画家没有问她是谁，神色如常。过了一会儿，忽然传来一声巨大的巴掌声，蕊生吓了一跳,画家责备道:"你到阳台又不关纱窗,蚊子都放进来了。去拿卫生纸。"他把手掌从大腿上移开,摊开给她看:巨大蚊子细瘦的残骸,一只腿被扯断了,被拍破的内脏血液四溅,浓稠紫红色的血却是他的,是她害他流的。

蕊生险些呕吐。她和画家刚开始时也是耽美的浪漫关系,可名妓赎回家就变成了通房丫头,封建而污秽。

那一晚,蕊生和画家分手,画家仁义,让蕊生在这公寓继续住到年底。她心里镇定得很:我还能画,怕什么?

她开始认真准备毕业展,彻底清净和专注了几个月,每天中午十二点开画,画到晚上,一边做饭、吃饭,一边和羽柴视频,用最简单的中文交流,大脑皮层得到放松地按摩,喝杯茶,继续画到第二天早上。几个月都是这样,她内心前所未有地沉着。

布展那天,倪红在她身后看了许久,才说:"你是燃烧了一把。"

蕊生笑道:"我好像找到路了。"从"画画"到画画,她觉得之前都是热身。

展览期间,却出了事故。某个儿童绘画的辅导机构带了几百个孩子来参观,导致很多展品被破坏。装置艺术的电子设备被偷,陶瓷雕塑被不小心碰坏。蕊生的画是油画系唯一被破坏的,被泼上了一大桶红漆。

这桶红漆泼得蹊跷,不像是不懂事的熊孩子做的,倒像是有人趁乱报复。蕊生找相熟的老师,要求调监控录像看,老师叹了口气说："学校不想闹大，显得我们跟一群孩子过不去。你这事……也不能完全算冤。"

蕊生这才知道，同学老师逐渐有个心照不宣的结论：这桶漆是针对蕊生和那著名画家的关系。

流言像水，它在表面探索弱处，直到找到突破点，然后把你所拥有的一切都冲走。蕊生的弱点在于她失去了靠山。

不愿意和同学老师再见面，画画也陷入瓶颈，她一举起画笔就感到一股沉重的羞耻感压在手臂上。蕊生在公寓从盛夏躺到了夏末，泰坦尼克号沉了，这公寓是她的甲板，暂时托着她到另一个大陆。

秋天，羽柴邀请蕊生去东京玩。

京成线上，她一路好奇地看着窗外。天阴阴的，灰色的薄雾笼罩在绿得深浅不一的水田上。车内的空调像呼吸，大口吸了车上这些爱干净的人身上不同洗衣液和沐浴露的芬芳，然后呼出一口冷冽的香气。

羽柴带她到新宿的一家日料店吃饭。两人并排坐在最靠墙壁的吧台位置，她看他皱着眉很认真地跟服务员点菜，说着她完全不懂的语言。她第一次崇拜起自己的男朋友，说日语的他变成了成熟而社会化程度极高的职员。

蕊生用水性笔在餐巾纸上画画，画一株臆想中的植物。羽柴点完菜凑过去看，蕊生调皮起来，加了些线条，把植物变成了一个男性生殖器。

羽柴脸顿时红了,把纸抢过来泡在水里,台下的脚踩在她的脚上,好像怕她扑过来性骚扰。

"我没交往过你这样的女孩子。"他不看她,对着面前的空酒杯笑道。

"你喜欢吗?"蕊生说。

羽柴捉着她的手放在自己的裤裆,她隔着布料感觉到他坚硬的热度。

"喜欢死了。"羽柴说。

他也在餐巾纸上画,画一幢小小的房子,屋顶被火焰吞噬。他说:"你们中国人形容恋爱说得真好,像房子着火。"

蕊生在年底公寓租约到期之前就和羽柴先生结了婚。

她的婚事在家族里闹了很大的风波,生活在城镇的父亲怕被亲戚朋友指责"汉奸",坚决不同意这婚事。蕊生哭了又哭,求助羽柴先生,他为难地说:"我们不干涉别人的事情。日本人是这样的。"她惨笑,难道让羽柴去父亲面前长跪不起把头磕破,演"梁山伯与祝英台"?

眼泪流完之后,蕊生变成了铁石心肠,只身去了东京,和家里断了联系。羽柴请他的父母亲朋在一家海鲜店吃了顿饭,当作婚礼。蕊生穿了件白色及踝软缎裙坐在他身边,她虽然突击学了日语,但水平远没有到能交流的程度,全程只微笑。因为害羞,反而显出一种冷漠,像一碗被堆得高高的刨冰。

蕊生刻意堆积的距离感很快在繁复的结婚手续里消耗殆尽了,她辗转在日本法务省和入国管理局之间申请文件和签证。从冷香的电车上下来,步行到入国管理局,那完全是另一个气味的世界,印度人、打工的中国学生、抱着孩子的菲律宾女人,每个人手上拿着的号码牌上都是天文数字,他们恳求在这个简单有序的世界再待一会儿,他们知道当他们被踢出这个世界,古老历史的残余与令人窒息的高温会消耗完他们所有的精力,再把他们撕得粉碎。

羽柴很快进入丈夫的角色,似乎结婚象征着上班族身份的完整。他花掉所有积蓄付了房子的首付。在东京中目黑的一处公寓,是 20 世纪 80 年代初的公寓楼,只有两个房间,每个房间各六张榻榻米大。

他第一次带她去看公寓,用卷尺把其中一个房间分割成两半,说:"一半做工作室,你要继续画画。"

他平躺在她虚拟的"工作室"地板上,把那个空间撑得满满当当。她躺在他的臂弯,他说:"我很幸运,娶了艺术家当太太。我过去生活里没有人懂艺术。"

蕊生嫁给了完美的丈夫。

蕊生以一己之力完成了搬家的工作,把自己的小工作室也布置得温馨整齐。她改掉了过去乱扔颜料的习惯,把一管管颜料收纳得整整齐齐,像子弹头。空间有限,她开始画很小的画。题材还是一样——树,粗壮的用枝丫拥抱自己的树桩。

羽柴兴冲冲来看她的作品,露出一种大人看小孩做了蠢事时的笑容,一种自己尴尬也让他人尴尬的笑容。蕊生知道自己没有进步,笑道:"我刚刚恢复练习。"他松了一口气。

羽柴上班之后,蕊生一人在房子里无事可做,脑海里就一帧帧慢速回放着丈夫从起床到出门的镜头。回放了几次,她忽然觉得有些不对,有两帧之间仿佛缺少了某种连贯。

羽柴总是早饭后喝杯咖啡,上厕所,洗澡,然后出门。可他已经连续一周没有在家上厕所。蕊生掀开马桶圈,看到马桶沿上的黄渍和溅出来的屎渍,仿佛一下子回到高中数学课上被老师叫到黑板前做一道复杂的立体几何题,她无以名状地尴尬,觉得自己不属于任何地方。

她发现羽柴不知什么时候买了厕所清洁剂,放在马桶后面。她蹲在马桶边用力擦污渍,有些时间了,坚硬的屎渍顽强地黏在陶瓷壁上,用了些力气才擦干净。蕊生起身前,看到旁边脏衣篓里放着他的袜子,白色的羊毛袜上沾了灰,是她没有擦干净的地板上的灰。他过去的袜底永远是白白净净的。

蕊生决定改变自己。

每天早上,蕊生早起给羽柴做好早饭,送他上班。她把牛奶盒冲干净,剪开成一张纸壳,擦干净,晾干。然后仔细将垃圾分类,洗衣服。她有意地把每个家务的过程延长,把牛奶盒擦得没有一滴水珠，看着衣服在洗衣机里转动。她把时间的性价比变得很低，五十音图足足学了一个月——其实她记忆力很好，寂寞的人生那么长，要稀释了才能充满。

做家务到下午四点，她出门骑车买菜，这时候她是快乐的，像大学时代学习美术史一样认真挑选着食材：虾红、水浅葱、芥子黄，菜市场是她生活里仅存的印象派。

羽柴一周有三天晚上在酒馆和同事喝酒聚餐，四天在家吃晚饭。他们成了日式夫妻，结婚证是为热恋情侣提供的疏离彼此的许可证。

某天晚上吃饭时，羽柴聊起自己的同事依仗着企业终身制而偷懒，晚上不加班，害得项目周期被拉长。

"我讨厌不努力的人。"他说。

蕊生心里一惊。他在说她？她的丈夫从不批评她，永远一副温和而天真的样子。他坚持跟她说中文，把细密的情绪起伏掩盖在最简单的表达下。他在和同事喝酒时会怎么形容她？用她听不懂的日语，说自己娶了艺术荒废、家务也无能的太太？

"好喝！"他喝了一口啤酒，做出夸张的满足的样子。

她恨他，恨他的羞涩，恨他孩子一样天真的脸。她想象自己把满桌的饭菜掀了，和他大吵一架，两人用最狰狞的面孔对着彼此，号叫到嗓子都嘶哑。这样方才痛快。

然而，她只是微笑道："你要喝茶吗？绿茶还是红茶？"

只有到了晚上，羽柴才重新变回热烈的爱人。他们在黑暗中彼此看不见，摸索着彼此，缠绕着彼此，如同两个溺水的人。他需要她，而她需要他的需要。这种需要无关欲念，只是恐惧，他和她可以扑向任何一个陌生人。

欢爱结束了之后，羽柴扭动一下，摆脱她。蕊生到自己的"工作室"去，颜料和画布都用白布盖起来，米白色的墙壁，整个房间一点色彩也没有。她推开推拉门，有一个50厘米宽的阳台，但是阳台外什么也没有，没有旧屋顶，没有天际线，没有变幻的天色，只有另一幢建筑赭石色的墙壁。

她想起自己旧公寓里那几个斑斓的坐垫，从不同处买来的，其中一个有几十种钉珠和绣片，是她从尼泊尔一路带回来的。她离开得仓促，没有带走公寓里的任何东西，那个尼泊尔手工坐垫应该被扔了吧。

明天要去跳蚤市场看看，有点颜色或许会增添灵感，蕊生想。

这个计划一直搁浅下来，因为蕊生怀孕了。察觉到的时候已经三个月，羽柴对于做父亲这件事很兴奋，买了很好的婴儿摇篮放在蕊生的"工作室"，她的画架和颜料放在纸箱里，堆在阳台上。

蕊生变得异常依赖羽柴，像小猴子一样吊在他身上说些无聊的话，反智又返祖。晚上关了灯，羽柴想亲热一下，她又倒头大睡，是货真价实的那种睡，有时被自己的鼾声吵醒。她假装不知道他失望：她的人生从没有撒过娇，生孩子之前的几个月是她最后的机会。

她原来当他在外时从不打电话,现在他一下班,她就打电话缠住他。这一天打电话时,羽柴刚下班,在地铁站台上等车。

蕊生介绍着孩子今天在肚子里的新动作,话还没说完,羽柴忽然有些兴奋地说:"你猜我今天遇到谁了?"

羽柴说:"倪红小姐。我今天中午去神保町吃咖喱,在咖喱店遇到的。她现在是还不错的插画师,给美国有名的杂志画画,还得了奖。"

蕊生说:"她怎么样?"

羽柴笑道:"她还是老样子。"

两人忽然同时沉默了。过了几秒钟,羽柴说:"不过她看起来有点累,她还没结婚,一个人在美国很辛苦吧。"

这时,电话那头忽然传来一声刺耳的巨响,然后是一片嘈杂。

羽柴说:"啊!有女人跳轨了!"

蕊生忽然觉得,列车停下,时间静止,地球的旋转瞬间停止了,一切苦难与生命的惊喜都中止。没有新生命生育,没有旧生命死亡,她也不再凋零。她觉得跳轨的女人是自己。

羽柴在说什么,她没听清,问了一遍。

羽柴说:"衣服洗好了,你晾起来吧。"

果然,洗衣机传来了欢快的音乐,他的耳朵真尖。蕊生把羽柴的袜子从洗衣机里拿出来，深蓝色的羊毛袜子，底部被磨得起了毛。蕊生把毛茸茸的布料贴在脸上，想象把羽柴的脚贴在脸上，雪白的厚厚的脚，脚掌上长着黑色的绒毛……这双脚踏上地铁，到站后在短暂的空当中随着无数和他一样的上班族下车，每天踩着同样的路回家。有一天，这双脚会不会突然停止下来？会不会忽然转向别的方向？

蕊生摸着自己的肚子，忽然笑起来，她很快发现这笑的可怖，停下来，把袜子使劲抖抖，晾在室内的横杆上——外面下着雨。

漫长的雨季又要到了，她提醒自己明天要去二手电器市场，去看看有烘干功能的洗衣机。

依然一波波涌上，海浪声越来越大，心想："海浪真拼啊。"我也在很多别的地方看过海，唯有那天至深夜仍不知疲倦的海浪澎湃得让我惭愧。

我沉迷于看微风吹拂的形状，看水珠变化的声音，问同行的朋友此刻的感想。他想了一下，很认真地说："很想在里面尿尿。有些空间让人想躺着，有些空间让人有性兴奋，这个空间就是让人觉得在里面尿尿一定非常舒服。"

丰岛另外两个有意思的空间，一个是"暴风之家"，一个是"心脏音的资料馆"，全是西方人的设计。

"暴风之家"改造了一处旧屋，全部布置成昭和时期的模样，连电风扇、神龛都老旧得很精细。

艺术家在这个家里通过光线和水模拟了一场暴雨，风吹庭院，树木的声音越来越大，气温降低，雨声也愈大，仿佛是愤怒的不速之客叩打门窗急着进来。不稳定的电灯终于彻底熄灭，游览者困在屋里瑟瑟发抖，勾起童年最可怖的记忆：孤身一人蜷缩在空荡的家里，等待着雨停。

"心脏音的资料馆"是法国人的设计，所有参观者可以在那里录制下自己的心跳。

展览室有一个长约 20 米、宽约 5 米的走廊，全部黑暗，只有中间的天花板上垂下一个吊着的灯泡。房间里回响着重低音的音频，是先前来参观的人录制的心跳声。声音很大，以至于整个房间和身体一起共振，灯泡就随着心跳声忽明忽暗地闪着。当心跳薄弱，灯泡就暗些；心跳强壮，灯泡就亮些。

只有在灯泡闪烁的瞬间，才能模糊地看见前面的一点点路和别的游览者的身形轮廓。大家如同一起误入他人子宫的婴儿，在羞赧中有种奇怪的亲密。

黑暗中，我忽然想起前段时间的一段死亡纪事。我常在家附近创意园区的一个咖啡厅写作，老板娘的丈夫是园区一家创业公司的创始人，我跟他在咖啡厅有几面之缘，他是充满热情的人，声音低沉洪亮，有时我也被不知不觉吸引过去，侧耳倾听他和别人的谈话。几周前的凌晨，他倒在园区的门口，心梗去世。

人死如灯灭，死亡的瞬间对死者来说是一种命运的完成，就像英国作家 E.M. 福斯特所说："人的生命是从一个他已经忘记的经验开始，并以一个他必须参与也不能了解的经验结束。"

人死如灯灭，死亡对于生者来说最痛苦的却在于生命的未完成，生者必须一直生活在黑暗的房间，不再被温暖和热情的光芒照亮，只能凭借惯性麻木地摸索着房间里的一切。

整个艺术祭，我最喜欢的建筑是最后去参观的丰岛横尾馆——

建筑师永山祐子为艺术家横尾忠则设计建造的美术馆。

知道横尾忠则还是因为三岛由纪夫，横尾是三岛的忠实粉丝，三岛也找过横尾为自己的书设计封面。三岛评价横尾的作品："横尾忠则的作品，简直是将我们日本人内在某些不想面对的部分全部暴露出来，让人愤怒，让人畏惧。这是何等低俗的色彩啊……然而在没有办法被这些鲜明色彩包裹的黑暗深处，似乎暗藏着某种严肃。就像马戏团钢索少女缀满亮片的底裤会让人感受到某种严肃那样。"

可不是所有人都喜欢横尾包裹在艳俗色彩下的讪笑，横尾去卡达凯斯岛时专门拜访达利的家，达利看了横尾的作品集之后说："你可能很喜欢我的作品，但我讨厌你的作品。"

我也不太喜欢横尾忠则盛名之下的一些作品，觉得对世俗的讽刺太过轻薄。可在丰岛横尾馆看到的都是从未见过的他最近的作品，含蓄的情欲里衰老之后对生命残酷的处置，反而有种更深刻的刺激。年轻女建筑师的色情隐喻则毫无掩饰，整个观览过程不是看，而是 VR 式的情欲体验。

建筑改造了旧农舍，外墙木头刻意烧黑，搭配红色的反射玻璃。红色玻璃是一个界限，区分开生与死。进入室内，首先看到一个缤纷的庭园，像是一个刚刚摆脱清教徒家庭的孩子的狂欢，对色彩有着无餍的欲望,红色的石头、金色的鹤、多彩的马赛克拼贴水池。

同行的朋友问我:"你看那树怎么是这样?"

枝叶有如一簇簇火焰形状的树被修剪得细细长长,和岛上其他的树差别很大,像是男性生殖器的形状。再看红色的石头,像是女人敞开的大腿,流出潺潺溪水。溪水延伸至美术馆的室内,美术馆的地板是玻璃的,能看到水和鲤鱼,也反射出挂着的画。

我最喜欢的是一幅大画《宇宙狂爱》(*Universal Frantic Love*)。远看是一幅抽象的风景画,各种山间瀑布的拼贴,近看才发现其中隐藏着一幅春宫图。男人贪婪地把手放在女性的乳房上,下体的兴奋透露出他急不可耐,而女性平静得简直心不在焉,只有镜中映出的脚泄露了秘密,痉挛癫狂的脚,脚趾凌空翘起。

古老的春宫图,与之交融的瀑布镜像却是很现代的,像是游客在黄石公园照的照片。有几幅拼贴的瀑布图中甚至有游客的身影,穿着西装,谨慎地欣赏着美景。其中一个游客刚好站在春宫图男性的下体前,茫然地看着眼前突兀的庞然大物,仿佛在研究那是来自哪个年代的奇石。

我想到张爱玲《传奇》的封面:晚清的寻常人家,女人玩骨牌,奶妈抱着孩子,栏杆外却有一个比例不对的人——那是现代人，非常好奇地孜孜往里窥视。

横尾忠则的画当然更刺激，古人的体液成了瀑布，流淌在窥探的现代人身上。

美术馆外还有一个烟囱形状的圆柱建筑，墙壁贴着密密麻麻的瀑布的照片，天顶和地板都是镜面，反射出无限长度的空间。我从未发现过，原来密密麻麻的瀑布这么像密密麻麻的女性裸体。

离开美术馆，觉得出了一身汗，仿佛刚刚做了什么见不得人的羞耻事。在一个没有道德感束缚的世界，若真有《红楼梦》的太虚幻境，我猜它也是被一层红色的反射玻璃环绕着。

坐船离开丰岛，上岸前最后看一眼濑户内海，觉得海洋奇妙，它总是不断被划出道道伤痕，又总是处于完整无损的状态。海不会记得我来过，我的人生却被带到了未知的航道。

2016.11.8 （星期二）

　　阎连科老师的《年月日》日文版出版了，他来东京做宣传活动。我去听他在东京大学的讲座，在阶梯教室里，阎老师像在罗马斗兽场里一样陷在最低处，看起来有点可怜。

　　等他讲座完，我们一起去中目黑吃晚饭。沿着目黑川散步，两边的小店都很有设计感。我们找了一家北京烤鸭店，口感太甜，我们吃了都苦笑。坐在室外的餐桌旁，我看着河两岸的两个带孩子的主妇遥遥地相互挥手打招呼，为自己或许一辈子无法拥有这样的生活而遗憾。

　　听阎老师聊起他之后的写作计划，不禁惭愧起来。每次见面都要感慨他的勤奋，他每天早上雷打不动写几个小时，并且是手写，连续三个月，基本上就能完成一部小说的初稿。

人们对于写作最大的误解，是认为写作是由灵感来支撑的。人们对于作家的想象还是"李白式"的，觉得他们的生活是不断游历采风，夜夜笙歌，乱搞男女关系，然后回家给自己倒杯威士忌，两个小时就创作出小说来。

但实际上，小说家和上班族没什么区别，每天一大早就必须坐在书桌前开始工作。或者说，更像是运动员，因为上班族可以敷衍工作来欺骗上司，小说家和运动员却无法敷衍自己。作家创作小说时，每天早上都折回起点，校正自己，重返现场。整个过程如海上遇难者一样孤身挣扎，没有人能够伸出援手。这种工作靠灵感和热情都是无法支撑的。

实际上，那些看似活得随意的作家其实都具有高度的自律性。

天才如马尔克斯，在写《百年孤独》时，创作状态依然非常艰难。他把自己写作的房间称为"黑手党的洞穴"，大概三平方米，连接一个小浴室，一扇门和窗户通往外面的庭院，房间里有一个沙发、电暖炉、几个柜子、一个小而简单的桌子。

他每天一早送两个孩子上学，八点半之前就坐在书桌前，一直写作到下午两点半小孩放学回家。下午的时间则用来为小说的写作查资料。

他只有在吃饭的时候才会短暂地见一下自己的孩子，而对孩子的态度基本也是恍恍惚惚、爱搭不理。孩子对父亲印象最深刻的是他俯首在满是烟雾的房间里的背影。

格雷厄姆·格林是一个生活异常丰富的作家，他当过记者，做过间谍，去过战场，和表妹徒步穿行过非洲，同有夫之妇谈恋爱，把一个人生命的容量扩展到最大化。

但看似不羁如格林，在创作上却努力得像是备战高考的考生。战争来临前夕，他马上要被招募，把家庭撇在身后，他当时想写的作品是一点也不挣钱的《权力与荣耀》，他知道这本书的收入无法支撑自己入伍期间的家庭支出，所以决定再写一部畅销书。

距离入伍还有六个星期的时间，他决定在下午继续艰难缓慢地创作《权力与荣耀》，而在早上写畅销书。他把工作室设在一个工厂，这样就没有电话和孩子的干扰。

他开始吃一种叫作安非他命的中枢兴奋剂，连续六个星期，每天清晨服用一片，中午服用一片。因为药物作用，每天他的手都在颤抖，心情低落，会无缘无故地暴跳如雷。

他后来回忆，他和妻子的婚姻破裂，更多是因为那几周服用的安非他命，而不是战争造成的分居。

如果不创作的话，作家可以拥有幸福平静的生活。作家可以选择吗？

他们可以，但是他们不能。

小说《自由》的作者，同时也是美国当代最重要的作家乔纳森·弗兰岑，他写第二本书时，婚姻关系非常紧张，同时他的父母生病，可是他每星期、每天，甚至每小时都在想着要如何更改小说的内容，最终导致了离婚。

他说："我明显地感觉到，如果我不再当作家，我的婚姻还能延续。不只是我的婚姻，我和父母的关系也是。每次我回老家四天，就大概半年到八个月不会再回去，因为我必须维持自己的情绪平稳，才能继续手边的写作。我的本质就是创造冲突的根源，我就是个小说家。"

旺盛的创作状态和幸福的家庭生活无法平衡，这是从事艺术人的宿命。是艺术之神选中你，而不是你选择服侍它。华兹华斯有句诗说："我等诗人年轻快乐地动笔，最后的结局却是消沉和疯狂。"

不知道为什么，我竟感觉到了一种中二的热血。

很惭愧地说，我厌恶"鸡汤"，但是依赖"鸡血"。每当工作陷入泥泞的时候，我就会开始服用常年冷藏储备的一些"鸡血"。

比如当我需要在短时间内完成某项不可能完成的工作时，我就会去看井上雄彦的纪录片《最后的画展》。

井上雄彦是我最喜欢的漫画家，他最被人熟知的漫画是《灌篮高手》，但我最喜欢的是《Real》。《Real》讲的是一群因为意外而残障的人士打篮球的故事，漫画的名字来源于其中的一句话："人在被彻底打垮时才会询问真实。"

这是真的，人在春风得意时，顺风顺水时，驾轻就熟时，理所应当时，对生活得到的结论，全是虚妄。

《最后的画展》纪录的是井上雄彦筹办《浪客行》画展的经历，21天要独立完成101幅画，其中有很多是巨大的展板画。井上雄彦每天从早上十点画到凌晨三四点，睡在帐篷里。在距离画展开幕只剩5天的时候，他还有30幅没画，开幕的当天甚至通宵作画到了早上，最后高质量地完成了全部画作。

纪录片我看了十几遍，其中获得的动力和感动丝毫没有减弱，每次都会汹涌地想："这样可怕的任务人类都可以完成，我也没什么好怕的！"

特别惭愧地说，我现在真的有些懒惰了。也许和别的作家相比，工作状态还算正常，但是和自己过去相比，真的懈怠了很多。

我最努力的时候是初中，那时候没有集中创作小说的时间，只能平常写些草稿，等暑假来完成和修改。写到凌晨三点，实在太困了，就开始做仰卧起坐来提神，每天做 100 个仰卧起坐，一个月就长出了一肚子肌肉。

我那时候对自己还没有总结能力，要不然我也可以像村上春树一样写一本《当我仰卧起坐时我都想什么》。村上春树早上五点开始写作，写四五个小时，然后出门晨跑，他说："写文章本身或许属于头脑的劳动，但是要写一本完整的书，不如说更接近体力劳动。"

的确，体力对一个作家的重要性远远超过旁人的想象。我曾经听不止一个作家说："我年轻的时候一天能写 2000 字，现在只能写 500 字了。"最大的原因并不是灵感的枯竭，而是体力的衰退导致无法长时间集中精力。

但创作者锻炼身体，或者用更时髦的话说——"肉体修炼"，它的意义其实在于锻炼对自己的控制力。

很多人认为"自律"是自我压抑的结果，"存天理，灭人欲"，变成一个苦行僧。但其实自律不是压抑之后的被动选择，而是个体意识的主动选择。自律的人意识到自己内心的冲动和外界标准的冲突，然后开始主动调整自己。调整自己的身体也是一种控制力的练习。

必须承认的是，写作对天分的要求远远高于对汗水的要求，鼓励一个没有天分的人在写作上花一万小时练习是一件不道德的事情。但是，我非常讨厌成熟成名的艺术创作者毫无愧疚——甚至反以为荣地说起自己的懒惰，说自己生性散漫，不务正业，放纵不羁爱自由，导致几年没有新作，在我看来，这只是用来掩饰自己才华不够的借口而已。

2016.11.9 （星期三）

　　阎连科老师去神户大学讲座，我没有去过神户，就跟他一起去。神户大学一个台湾的研究生来接我们，他说神户是个很小的港口城市，生活节奏慢，背山面海，娱乐也不多，唯一能拿出来说的是六甲山价值千万的风景。

　　村上春树在神户度过了自己的高中时期，15岁的生日礼物是一张爵士乐演出的入场券。这是他人生中第一次真真正正听到爵士乐，如同雷击一样被震撼，从此入了迷，整个高中时期混混沌沌，翘课去爵士乐酒吧消磨时光。

　　我在神户市区逛了逛，觉得这不是一座能够引起深思和感情冲动的城市，没有什么历史和文化遗产。或许正是因为这样，村上春树无法从城市中寻找到真正的柔情和伤感，才找到了爵士乐。

神户大学在山上，能看到海，风景很好。阎连科老师在一个小小的教室讲座，来听的人不多，大概十几名听众，大多数是中国的留学生。讲完之后阎老师说，自己也因为听众的稀薄反应感到丧气。

中午和阎老师在学校食堂吃饭，从手机上看到新闻推送：唐纳德·特朗普当选新一任美国总统。

社交网络上炸开了锅。"都是你们的错。"一个朋友迅速给我发来冷嘲热讽的信息。

"你们"指的当然是知识分子。

知识分子在现在的中国社会越来越像一个讽刺的称谓。有两种对知识分子的厌恶，一种是情感上的厌恶，认为知识分子是一群智力懒惰的人，只会像坏了的收音机一样重复"把权力关进笼子""免于恐惧的自由"，没有表现出更多的思考能力，而这些漂亮的抒情话竟成了知识分子鄙视全人类的资本。说实话，我看到我的知识分子朋友们在特朗普当选后哀号一片，宣布"一个粗鄙反智、礼崩乐坏的世界来临了"，我也觉得讨厌：世界很愚蠢，知识分子很失望，然后呢？知识分子一直以《悲惨世界》里的《Do You Hear People Sing》作为煽情的背景音乐，现在人民真的发声了，你们却要傲慢地捂住耳朵吗？

第二种厌恶，是一些人曾经真的相信知识分子能够解决问题，然而失望了。知识分子提倡绝对意义上的道德：同情弱者，包容敌人，爱你的邻人如爱你自己。但是人们在实践中发现，弱者偷自己的钱包，敌人偷自己的钱包，邻人也偷自己的钱包。

我的朋友对知识分子的厌恶是第二种。他是一个善良的人，比我见过的绝大部分人都善良，抓小偷、做公益、从高速公路上救下流浪猫狗，他企图做所有知识分子定义为"正确"的事，却发现总是受到伤害。因此，他不愿意把左脸也伸给敌人了。

特朗普当选总统，我的朋友有些许幸灾乐祸。他不信任特朗普，但更讨厌知识分子的"自以为是"。世界并不像知识分子信誓旦旦承诺的那样在一个越来越好的平稳轨道上运行。当你制定了公平公正的原则时，也就默许了少数派和弱者的插队。

美国白人蓝领的收入没有起色，却让他们相信电视里政治精英的号召，看到淡定的亚裔、非裔和拉丁裔实现自己的美国梦，他们当然坐不住。

道德是抽象的，而愤怒是真实的。

和朋友的争论以我唾面自干结束了。"必要性"，他不断地强调这个词，为了更好的社会，违背道德准则是必要的。

必要性，necessita，是谁经常把这个词挂在嘴边呢？

是意大利的政治哲学家马基雅维利。马基雅维利说，作为统治者，如果你接受每个行动都必须通过道德观察，你一定会栽在不受道德法则约束的敌人手里。

马基雅维利的统治之道是：你可以引起恐惧，但不要激起仇恨。你最好让人民总是贫困，让他们征伐不断，这样会使被统治者经常感到需要有伟人来领导他们。做必须做的事，无论情况如何，但要努力使它们看起来对人民特别有利。

——感觉像是特朗普会仔细阅读的统治指南。

出于好奇，我重新读了一遍《君主论》，依然觉得马基雅维利无法说服我。他不相信有真诚的利他主义，几乎不允许人们有少许的理想的活动。他不理解社会和文化的自我发展，把日常政治原则和极端情况下的政治混为一谈，觉得都应该用恐怖手段压制。

但是我惊讶地发现，马基雅维利并不是一个反对道德的人。他生活在宗教盛行的世界里，他发现两种道德体系是相互违背的：一个宽恕、包容、善良的宗教世界；一个强大、安全、生气勃勃的政治共同体。

他认为宗教"忍耐"的教诲，磨灭了人的公民精神，面对暴君和破坏者毫无抵抗力。

马基雅维利并不是邪恶的精神病，他是一个爱国者，希望振兴意大利——和特朗普的口号"Make America Great Again（让美国再次强大）"一样。但他的言论实在太让人不安，《君主论》在长达几个世纪里都是禁书，解禁之后的几百年里，依然被主流社会明确否认其价值，被长期压在五指山下。

现在，公开说他那些现实的令人不安的言论，可以得到一个国家一半人民的选票了。

早上美国大选开票时，我在和一个美国记者朋友聊天，看着特朗普逐渐领先，他不断给我发来惊恐的表情。我安慰："希拉里还可能赢。"他说："我知道，可我也不愿意生活在一个一半人投给特朗普的国家里。"

美国记者朋友的反应或许就是特朗普能当选的原因。

我和这位记者朋友一样，都出生于 20 世纪最后 20 年，世界的动荡结束，我们沿着"发展"和"进步"的道路狂奔，相信迎来的世界必然更加美好。这条道路却在我们没有察觉的时候被悄然折叠，多元、平等和对弱势的同情这类我们曾经以为不需要争论的议题，又重新遭到了怀疑。

我们之所以没有发现这条道路的改变，是因为长期以来刻意忽略了与自己不同的声音，轻易地指责挑战这些进步议题的人是魔鬼和精神病,居高临下地攻击他们是愚蠢落后、粗鄙反动的。

几个月前,我看米歇尔·奥巴马的一个演讲,针对特朗普,她有句著名的话:"When they go low, we go high.(当他们下流的时候,我们高尚。)"

我当时很受感动,现在却不得不承认,这种口号是打着宽容的旗号拒绝宽容。就如同特朗普当选之后,我看到知识分子朋友的第一反应是认为人们需要"启蒙",第二反应是哀叹自己作为精英的脆弱和没有安全感。这种傲慢未免令人厌倦。

这样看来,特朗普当选最大的好处,就是宣布了知识分子傲慢的破产。知识分子终于可以坐下来,倾听那些与自己不同想法的人的声音,想想自己到底做错了什么。

我和阎老师讨论美国大选的事,他说:"旧时代结束了,一个新时代要来了。"

我在美国读书的朋友 E 今天说了同样的话:"我们记事的时候冷战都结束了,一切其乐融融。我们没体会过一战、大萧条、二战、冷战高潮等几次危机。'9·11'和金融危机也没从根本上改变局面,这种已知世界内的其乐融融在人类历史上也是不多见的,不能指望它永远持续下去。"

2016.12.20 (星期二)

今天重新读了诺贝尔奖得主南非作家库切的小说《耻》，小说讲了一个简单的故事。

故事发生在南非，离异的大学教授卢里因为一桩和女学生的性丑闻，被学校开除，搬到了乡下的农场，和女儿露西一起居住。他们所在的农庄遭受了附近黑人的抢劫，卢里受了伤，露西被强奸怀孕，她要嫁给黑人寻求庇护，卢里精神一蹶不振。

小说的英文名叫"Disgrace"，这是个更恰当的题目。因为"耻"只是种状态，这部小说写的却是人的尊严是怎样被"dis"掉的缓慢过程。

这种"dis"的过程称之为堕落是不合适的，因为堕落是一个有快感的过程。但文中的主角们并没有丝毫感受到放纵带来的快乐，而是眼睁睁地看着自己的精神被一双无形的手阉割。

小说里有一段精神上阉割狗的描述很精彩：

"那是条公狗。附近只要来了母狗，它就会激动起来，管也管不住。狗的主人就按巴甫洛夫条件反射的原理，每次给它一顿打。就这么一直打下去，最后那可怜的狗都糊涂了。后来它一闻到母狗的味道，就耷拉着耳朵，夹着尾巴，绕着院子猛跑，哼呀哼的想找地方躲起来。"

狗厌恶起自己的本性，在没有人揍它的时候也会惩罚自己。小说里的人物就如同这样自我阉割的狗，精神上堕入越来越无能的境地，在"耻"的泥淖里越陷越深而无力对自己施救，无力反抗。身为看客的我们，竟也无法替他们找到反抗的支点。

小说的主角是何以落到这个境地的？生而为人，何以为耻？

小说中最明显的线索首先是主角卢里的"两性之耻"。开篇，他和一个叫作索菲亚的妓女保持着固定的性关系，那是他认为的极乐：一种轻巧而短暂的快乐，一种温文有度的快乐。

这种快乐被打破，是因为卢里无意中在街上看到了索菲亚的儿子，看到了她妓女身份以外的日常生活。他还想和索菲亚保持关系，但是索菲亚拒绝了。

卢里的第二个女人是一个叫作道恩的秘书，因为性生活不和谐,卢里感觉到了厌倦,他甚至想到了放弃在情爱上的追逐。

如果卢里真的像他表现得那样厌倦,那么他的命运将一帆风顺。可卢里诱奸了年轻貌美的女学生梅拉尼。库切小说中人物的性一贯是懒惰和冰冷的,男主人公像蛇一样心不在焉,时而灵魂抽离出来看着交配的双方。但卢里的这次性爱让他获得了生理上的快感和满足,同时也让他人生的厄运开始。

这桩性丑闻让卢里在大学里声名扫地,被开除出校,去乡村的农场和女儿露西一起生活。

在农场,他和一个叫作贝芙·肖的妇女发生了关系。那是一个他一辈子都想象不到自己会与之发生关系的女性,苍老、丑陋,他在性爱之后产生的是深深的怜悯,怜悯贝芙·肖,也怜悯自己。

"他(卢里)的思绪飞到了爱玛·包法利,似乎看见她在第一个重要的下午之后站在镜子前神采飞扬。我有情人啦!我有情人啦!爱玛自言自语地唱着。好,就让贝芙·肖也回家去唱一番吧。而他也别再称她为可怜的贝芙了。如果她可怜,那他则彻底完蛋了。"

卢里在小说开头就是一个资深老流氓,并且是一个情欲需求并不那么旺盛的老流氓,为什么他会在两性上沉沦到自己也不堪忍受的地步?卢里到底做错了什么?

他首先在道德层面越了界。他侵犯了索菲亚私人领域的生活，他不满足于每周和索菲亚这种职业化的性关系，而对她的日常生活产生了好奇，甚至找了私家侦探去寻找她的踪迹，这是第一种越界。

第二种越界，是权力层面的越界。卢里为了让学生梅拉尼跟他上床，往她的饮料里下烈酒，闯入她的住宅，私自改动她的成绩。这些行为被卢里承认是种"诱奸"，但他却拒绝承认是强势对弱势的权力欺压。

第三种越界，是艺术对于生活的越界。卢里是个浪漫的人，他在跟女人上床时心中总想起《包法利夫人》里的片段和拜伦的诗篇，他在脱梅拉尼的衣服时，觉得自己是爱神的侍从。他甚至在诱奸梅拉尼时，心里想"她不是自己的主人。美丽不是自己的主人"。

——这简直是文艺强奸犯常用的句式。他们任由艺术僭越自己的生活，让艺术为自己的逾矩与不道德找借口，并且认为他人对生活抱有同样"浪漫"的看法。通常女性作家对这种自以为是更敏感和刻薄。王安忆的小说《叔叔的故事》里，叔叔是一个受尽磨难的"右派"，后来抱得大名，成了能公费出国交流的知识分子。叔叔在交流时认识了一个德国女孩作为自己的陪同和翻译，在跟她布道的过程中，叔叔产生了幻觉，认为对方因着他讲述的这些苦难的荣誉而爱上了自己，作势要吻那个德国女孩，结果被对方一个巴掌拍醒。

而卢里则缺乏这一巴掌，把他从自我幻觉中打醒的一巴掌。

小说的第二层"耻"是道德之耻。

卢里被学校开除之后，到乡村农场和女儿露西一起生活。结果农场被附近的三个黑人（其中一个甚至只是孩子）抢劫，卢里被打伤，露西被强奸。

在这片荒芜而畸形的土地上，露西的悲剧无从申诉，更谈不上寻求什么公平，甚至，她连讲述自己厄运的权利都没有。讲述的权利属于施暴者，他们才是这件事的拥有者，他们会讲述如何把她按在身下，讲述他们如何向她呈现女人的命运。而露西作为现代独立的女性，只能生活在沉默的耻辱中。

露西怀孕之后，不仅没有打掉这个孩子，还准备嫁给黑人寻求庇护，作为"妾"生活，把农场也给黑人。

知道这个决定，卢里和露西进行了一番绝望的对话。

露西说："（我要）从一无所有开始。不是从'一无所有，但是……'开始，而是真正的一无所有。没有办法，没有武器，没有财产，没有权利，没有尊严。"

"像狗一样。"

"对,像狗一样。"

为什么露西宁愿像狗一样活在这个荒僻之地,而不愿意像人一样离开这里?

这就涉及小说中的第三层"耻"——历史之耻。

当露西被强奸时,她感到最害怕的是,施暴者似乎并不是在宣泄情欲,而是在喷发仇恨,一种产生报复的快感的仇恨。

报复什么? 一部分是报种族隔离之仇。长达48年的南非隔离制度借用了纳粹的理论基础,把人分为白人、有色人种、印度人、马来人、黑人不同的种族,法律不准不同种族之间的人发生性关系。黑人的权利处处受限,在南非种族隔离博物馆可以看到记录那耻辱历史的照片:黑人的儿童没有桌椅,蹲在地上写作业;黑人的男子被扒光搜身。1976年6月,约翰内斯堡的索伟托爆发大规模的黑人起义,超过500名黑人被南非军警杀害。

《耻》出版于1999年,南非种族隔离结束几年后。但黑人的仇恨并没有随之结束,"真相与和解"对于平复黑人心中的伤痕只是虚妄的安慰。一位南非黑人作家曾经说:"当白人开始回心转意学会爱的时候,我们已经开始恨了。"

完美的受害者是不存在的。痛就是真相,还击以痛就是真相。

露西所遭受的报复绝不仅仅是黑人的"愚昧"与"野蛮"带来的。历史一次次告诉我们，压抑的过去必作祟于现在。

二战之后，犹太诗人爱伦堡在《红星报》上发表诗歌："我们不应振奋，我们应行杀戮。如果你一天未能杀死至少一个德国人，那么你就浪费了这一天。人生最痛快之事，莫过于让德国人积尸成山……"

二战结束之后，暴力的阴影并没有从欧洲大陆散去，除了报复德国人，很多西欧国家还欺凌与德国人有染的本国妇女。

在非正义的历史之中的每个人，都兼具受害者和施害者的双重身份。

露西所感受到的第二重仇恨是黑人报复"侵占"带来的痛苦。17世纪初，荷兰的东印度公司在好望角建立了殖民地，住在开普地区的纳马人成了第一批奴隶。

作者库切是荷兰裔南非人，他的第一部小说《幽暗之地》就假借一个名叫雅各布·库切的荷兰殖民者的口吻讲述屠杀非洲人的故事。历史的幽灵缠住了作家的灵魂，他在《耻》中派出被侵占民族的后裔向殖民者复仇，向自己复仇。

我始终认为库切是一个相信因果轮回和道德报偿的作家。以白人被黑人强奸来报复被侵占的历史之耻，以女儿被强奸来报复卢里诱奸学生的道德之耻。

小说创造了两个相互对立的主角——卢里和露西。

卢里是一个种族优越者，活在过去的人。

这是作者隐藏很深的小把戏，设置在小说中与卢里发生关系的四个女性全是有色女性，卢里对她们生活与心理漫不经心地越界或多或少和他心理上的优越有关。

另外，当他刚到露西的农场，提到黑人农工时，语带嘲讽地说道："给佩特鲁斯（黑人）搭把手，这主意我喜欢，我喜欢带着历史味的刺激，替他干活，你觉得他会给我开工资吗？"

卢里并不是一个坏人，他从未真正地欺压过黑人。出于人文学者的天真和软弱，他至多是自我中心的感伤罢了，可历史并没有因为他不是作恶者而放过他。

当卢里知道露西被强奸，并且她为了寻求庇护，不仅要嫁给有老婆的佩特鲁斯，还要把农场和家当都给佩特鲁斯的时候，他真正地崩溃了。这种崩溃不仅仅是出于父爱，更是因为他意识到自己所熟悉的旧世界已经崩溃了，一个秩序井然、奖惩分明、白人黑人有色人种安分地各司其职的世界已经过去了。

新世界已经到来了，而"卢里们"在其中并无一席之地。就像里尔克在诗中写过的："我们目睹了 / 发生过的事物 / 那些时代的豪言壮语 / 并非为我们所说出。"

如果说历史对卢里的报复太过残忍，那它对女儿露西的惩罚简直扼住了读者的脖子，让读者透不过气来。

女儿露西是卢里的反面，她是一个信仰绝对平等的人。用流行的词说，露西是一个"白左圣母"，她深深地为殖民与种族隔离的历史感到羞耻——就像对二战感到羞耻的德国人。她离开城市，以公社成员的身份来到格雷汉姆镇，平等地对待黑人，平等地对待动物，厌恶一切权力的压制——包括男权和父权，她是一个女同性恋者。

露西浪漫的"政治正确"却以被性侵而结束，就像今年年初德国科隆跨年夜时发生的震惊世界的大规模性侵案，作案者被怀疑大部分是难民中的年轻男性。

这样的打击让露西纯真左派的想法幻灭了吗？作者没有叙述过她的内心。读者只能顺着父亲卢里的目光，小心翼翼地打量她沉默的背影，试图把她封闭的心门撬开一点缝。

那么作者对露西的态度是怎样的呢？同情还是嘲讽？在小说的前半部分，其实有一段看似无关紧要的闲笔，写明了作者的态度。

那是卢里在与人闲谈，说到历史的替罪羊："在实际生活中，凡是要寻找替罪羊的时候，背后总有宗教的力量在起作用。人们把全程的罪孽架在一只羊的背上，把它撵出城去，全城人因此得救。这么做能起作用，是因为人人都明白那些典仪该如何去理解，包括其中的神。后来，神死了，突然之间，人们在没有神助的情况下清除城里的罪孽。没有了象征的手法，人们只要求助于实际的行动。因此就产生了审查制度：一切人监视一切人。抽象的清除被实际的清除取而代之。"

说这话的时候，卢里并没有想到他其实暗示了女儿的命运——历史的替罪羊，更没有想到他对这命运早已有了绝望的预测：神死了，替罪羊能发挥力量的时代早就结束了。

《耻》写了一个让人不愿意接受的故事，像是《冰与火之歌》里说的 "All Men Must Die（凡人皆死）"，只要你曾经身处一段耻辱的历史中，不管你扮演什么样的角色，你必须接受自己所有的尊严也被抹杀掉的事实。

那么出路是什么？

我总认为伟大的作品在写尽了人类已经到来和逐渐到来的苦难之后，总会提供一道窄门。就像《圣经》中耶稣说："你们要进窄门。因为引到灭亡，那门是宽的，路是大的，进去的人也多；引到永生，那门是窄的，路是小的，找着的人也少。"

可库切并不是一个宗教作家，他并不把宗教救赎视为答案。他在小说中提供了一个人类自我救赎的方式：平等地对待动物。

在《耻》中，有一条暗含的线索，是卢里对动物的态度逐渐改变。他一开始嘲讽动物保护者，后来他做了一份工作，就是替狗送走它们生命的最后一程。小说最后，卢里以最大的温柔和理解让一只狗在他的怀里度过了最后一点生命。

如果一定要以"升华主题"的思想来总结，卢里在与动物的相处中，"悟"了。

在库切的几乎所有作品中，他都会提到动物的权利，他甚至写了本叫作《动物的生命》的小书。在库切看来，人们把动物划分为完全外在于自我并且低于自己的物种，是一种最深层的不平等。只要人类对动物的巧取豪夺没有结束，人类的其他不平等就不会结束，历史耻辱的循环就不会停止。

库切确实为小说中绝望的人们提供了解药，但这解药简直比绝望本身更让人绝望。

在英文版的《耻》中，封面有一句醒目的话：

"是的，我放弃了。"

是主人公放弃了，放弃找回失去的尊严。

库切作为非正常社会的作家似乎也放弃了，他在2002年移居澳大利亚，过上了正常社会的生活。

库切曾经说过："在殖民主义下产生的、在一般称之为种族隔离的状态下加剧的畸形而得不到正常发展的人际关系，在心理上的反映是畸形而得不到正常发展的精神生活。所有对这样一种精神生活的反映，无论多么强烈，无论其中透进了多少兴奋或绝望，都蒙受同样的畸形，得不到正常发展。"

写一个畸形社会固然更刺激，用功利而狭隘的想法——更容易得诺贝尔奖，但在畸形的环境中写作，无家可归的感觉和对一种无以名之的解放的渴望如乱箭穿心，作家身为公民，亦困囿于一个扭曲的个体。

尼采说："我们有艺术，所以我们不会因真相而死。"库切说："南非有太多真相让艺术去把握……淹没了想象的每个角落。"

那我们呢？身处太多真相中的中国写作者，该如何让想象喘口气？又该如何真正摆脱耻，安居于一个真正拥有立足之地的世界呢？

2017.1.11 （星期三）

　　这几天的东京非常阴冷，走在池袋的街头，游客都不再拍照，裹紧了衣服加快步伐往前走，显得很严肃。

　　今天中午在池袋一家文字烧餐厅吃饭。文字烧是把面粉糊和各种食材混合之后在烧热的铁板上烤成的，用小勺子铲着吃，一种很平价的美食。

　　餐厅很小，桌子之间近得很，我听到旁边一桌的日本女生聊天，一人说："真想找个有钱的干爹，给我钱整容啊。"

　　我忍不住扭头看她，穿着短裙、白色短袜和凉鞋，有些黑胖，头发染成黄色，几乎一刻不停地用手机前置镜头打量自己，拨弄着自己的刘海。

　　我想起自己每次经过日本三三两两聚集的女生，总能听见她

205

们齐声感慨："卡哇伊（可爱）！"她们对于"可爱"的定义，自然是根据男性的审美而来的。当迎合着男性审美的少女成功嫁人，她们就成了悠闲的少妇，理所当然地花着丈夫的钱——我去较为高档的餐厅和咖啡厅，顾客几乎全是女人。这样的男女关系就像是一场共谋。

我想起自己高三时学习压力太大，每个晚自习的课间都在走廊上冲着夜空大喊："好想结婚啊！"

在所有省事省力的人生选择里，结婚似乎是最不坏的那个。因为结婚是一件只需要维系而没有目标的事情。少女时期的我，天真地以为结婚能够把我从必须进步，一步步实现目标的焦虑中解脱出来。

成年之后，我有一两次面对结婚的真实诱惑，只要一决定，就可以迅速进入家庭生活，这时我才发现自己之前对于婚姻的向往不过是叶公好龙。

——我还是一个如此功利和虚荣的人，畏惧平稳生活带来的安逸，只能从进步里获得对自己的认可，感知到自己在活着。

晚上回家，上网看到我在美国读书的朋友 E 自杀未遂的消息。

他从华盛顿的一座桥上意图跳桥，幸而被朋友及时找到，警察接走了他。他在自杀前发了微博："世界是勇敢者的居所。懦夫即便被爱也很难有勇气在此世继续下去了。江老师喝酒了，我却从来对酒精没爱好，真是丢脸的终曲。"

华盛顿的夜晚，应该和东京的夜晚一样冷吧。

去年二月，江绪林老师自杀了。那时候，我还和朋友 E 相互鼓励，没想到现在他也放弃了活着的努力，我感觉到自己也丧失了一半的心力。

我和朋友 E 是网上认识的，那时他在微博上批评我。我看他批评得很好，他年纪虽然比我小，但聪颖和敏锐远胜于我。我厚脸皮地给他发私信，主动结识。我们认识了五六年，却只见过两面，平常在网上交流也不多，我只是遥远关注着他的动态和新作的文章，偶尔在看到某些让我极端难过的人与事时，我会想：朋友 E 此时的感受也一定与我一样。

这个想法就足以给我宽慰。

去年江绪林老师去世时，刘擎老师为他写了悼词，文章里有个细节让我印象深刻。文章说：人人的心中都有一个庭院，这个庭院是开放的，欢迎很多人来做客。但是庭院中还有一个小木屋，小木屋的门是紧锁的，那锁很难打开，有时是连环锁，有时甚至是死锁。

庭院是我们出于社会规范而展现出的温暖与友善，那是假山假水，小木屋里关着的灵魂才是那个真正的胆怯的自己。

我小时候是对外界过于警惕的人，长大之后才懂得主动把小木屋的钥匙散布出去，交付给几个朋友和老师。朋友 E 也是我托付钥匙的对象。拿着钥匙的人并不需要频繁地出入，串门聊天，只需要在木屋失火或淹水时，能够破门而入即可。

我愧疚于自己单向地把钥匙给了朋友 E，却没有从他那里索取安慰他的权利。

我知道他之前一直被抑郁所困扰。可我像大多数人一样，对他人的痛苦只有两种反应：一是你赶快好起来就不痛苦了，二是你还不好起来那就是你自找的了。承认他的痛苦，并且能够在一段时间内陪伴他在痛苦状态里是一件需要专业训练的事情，并不是仅仅依靠热心肠就足够了。

2017.1.17 （星期二）

看新闻，说马丁·斯科塞斯用了23年去寻找完美地拍摄《沉默》这部小说的方法，2016年底，他终于把电影拍了出来。

大导演如此踌躇或许是因为一个魔咒：一流的小说很难拍成一流的电影，二流的小说反而容易被演绎成伟大的作品。科波拉当时接手《教父》这部畅销小说时可是非常不情愿的。

远藤周作在战后写的《沉默》是一部伟大的小说，甚至被誉为20世纪日本文学的最高峰。它是一部"大"小说，讲述了日本17世纪禁基督教的故事，在日本私小说的传统下，这种直面宏大问题的题材很少见。

1549年，欧洲传教士沙勿略踏上日本国土，开始传教。沙勿略认为守礼恭敬的日本人是最理想的传教对象，而当时的政权也默许了基督教的传播。直到 1587 年，丰臣秀吉一夜之间转变了对基督教的态度，发布禁教令，从京都和大阪捕获 26 名圣人，在长崎处以绑在十字架上刺死的刑罚。

我几个月前在东京的西洋美术馆看过一幅表现"二十六圣人殉教"的油画，那是一幅让人无法凝视的画：基督徒们被赤身裸体地绑在粗大的木桩上，长崎的海被夕阳和血水染成一片昏红，被激怒的海掀起巨浪，隔着画布都可以听到画中人的呻吟。

德川家康获得政权之后，曾因为和欧洲的贸易而短暂地默许了传教，在 17 世纪初，日本天主教徒曾多达 75 万人，长崎成为"远东的罗马"。

短暂的平静之后，幕府又决心禁教，且措施变得越来越严酷。1622 年，发生了"元和大殉教"，包括中国人在内的 55 名教徒死去，此时的日本一旦发现教徒就会严厉惩处，并且利用寺院严密地监控地方社会。

1633 年到 1639 年，江户幕府连发五次锁国令，完全查禁天主教，日本彻底沦为贸易、文化、宗教的孤岛。

《沉默》讲的是江户幕府发布禁教令之后的故事。相传葡萄牙传教士费雷拉在日本变节弃教，消息传到欧洲，欧洲教会和他的学生都大为惊讶，拒绝相信。费雷拉的三个学生决定偷渡到日本，验证传言，并且在这个宗教迫害的国家偷偷传教。

　　小说的主角是其中一个叫作洛特里哥的学生，他潜入日本之后，被一个村民，同时也是弃了教的基督徒吉次郎出卖，因而被捕。被捕期间，当局不断以折磨拷打日本基督徒的方式来逼洛特里哥弃教——弃教的方式是踏上一块刻着基督像的踏板。

　　在被拷打，被迫聆听他人被拷打的呻吟时，洛特里哥唯一可以沟通的对象就是"上帝"，他不断绝望地问上帝：为什么？为什么你面对这一切，依然保持沉默？

　　在聆听到上帝的回复之前，洛特里哥并不愿意弃教。后来，他见到了费雷拉——他为之冒着生命危险来到这块土地的人，他始终不相信老师背叛了信仰。他见到的费雷拉已经改名为泽野忠庵，泽野不仅弃了教，而且正在编写一本批判上帝教义的书。

　　在和费雷拉交谈之后，洛特里哥踏上了踏板，终于把被血和汗水弄脏的脚放在了凹下去的上帝的脸上，用五根脚趾掩盖了自己爱的容颜。

　　直到小说的最后，上帝都保持着沉默，从来没有回应过洛特里哥的绝望与悲泣的求助，没有赐予过他哪怕一瞬间圣洁的喜悦。

　　小说的结尾，已经宣布弃教的洛特里哥的一段自述，让小说之前累积的信仰危机与苦难化作一股排山倒海的力量，击打着读

者的心,那种情感的强度是我很多年不曾感受到的。洛特里哥接受了出卖他的吉次郎的忏悔,对自己说:

"在这个国家,我现在仍然是最后的天主教司祭。而,那个人(上帝)并非是沉默着。纵使那个人是沉默着,到今天为止,我的人生本身就在诉说着那个人。"

谈起创作《沉默》这本小说的初衷,远藤周作写下:"我并不关注那些光荣殉教的强者,而是将目光投向那些惧怕肉体折磨、害怕死亡、卑微怯懦、因一心拯救家族成员而放弃信仰最终踏上踏板的弱者。我要使他们重新从历史的尘埃中苏醒过来,在这个世界上昂首阔步地行走,倾听他们的声音,这只有文学家可以做到。"

宗教故事似乎总是强者的故事,如前段时间热映的《血战钢锯岭》,主人公的信仰在血肉的磨难中没有受到任何减损,反而变得越发粗壮强大,最终赢得了精神与现实的双重胜利,宛如神迹。可远藤周作对强者的故事不感兴趣,他要写一个弱者的故事。

在整部小说中,远藤周作说自己最像的角色是弃了教,并且出卖了洛特里哥的丑陋的吉次郎。

远藤周作是个肉体和精神都很孱弱的人。他 1923 年诞生于东京,童年生活在大连,父母离婚后,10 岁的他随离婚的母亲和哥哥回到日本神户，12 岁的时候在家庭的影响下受洗。

他在懵懂的状态就信了教，像是毫无知觉地穿上了一件不合体的西装，余生都用来与这身西装作对。

远藤周作说曾经想过要弃教，但有两个原因让他没有办法抛弃。第一，他发现抛弃这身西装之后，就变成裸体，并没有可以替代的衣服；第二，在母亲辞世之后，这西装是母亲唯一留给他的东西，他觉得如果不仔细研究剖析这支撑了母亲半生的信仰，就会被愧疚吞噬，并且切断了他与母亲最后的联系。

为了更好地学习基督教的教义，远藤周作赴法留学了两年半。在法国，他疾病重重，心理上又无法融入。他有首诗写了这样的格格不入，诗中说："我不想在你的怀抱中死去／你们过于整齐／过于洁净／没有一丝的柔软和荫翳。"

暧昧柔软、赞美荫翳的日本的确是和基督教格格不入。芥川龙之介曾经写过小说《诸神的微笑》，故事里，代表日本诸神的老人对神父说：即便上帝那样的神来到这个国家也不会获胜。

日本诸神的意思是，日本的文化里有一种强大的改造力量，孔子、孟子、庄子带着文字和哲学来到这个岛国，它们却被日本人改造成自己的文化。宗教亦是如此。

在《沉默》中，无论是日本当局，还是费雷拉，都反复跟洛特里哥强调：这块泥泞的土地无法种植和滋养基督教的花。

远藤周作无法改变这土地，于是他决定改变那花——创造出一朵在泥泞中也能绽放的花，那花即使丑陋、软弱，但它不败、不倒、不凋、不飘零，无论面对雨雪打击还是劲风来袭。

他创造出了一个孱弱的上帝，一个会妥协的上帝，一个选择把信仰埋藏在心灵最深处，而不是向信众慷慨陈词的上帝。

《沉默》中的洛特里哥的原型，一部分来自于远藤周作和他母亲的精神导师，一位叫作赫佐格的神父。赫佐格后来还俗，与一位日本女性结婚，这件事对远藤周作的打击很大。他写道："您已经变成了另一种人，眼睛里泛起被抛弃的野狗那种悲伤的神情。"然而他终究选择了原谅赫佐格神父，因为"在其他客人没有注意的情况下，您快速画了一个十字形的手势，仅仅如此我便完全理解您了"。

在远藤周作的另一部小说《深河》中，他找到的"上帝"也是软弱而丑陋的人，那人叫作大津，年轻时被女性诱惑，抛弃了宗教，后来重回基督教的怀抱，成为神父，却几乎被教会抛弃。

大津来到了印度，开始把每个向往恒河却无力爬到神圣之水的人背起，带他们到恒河去。

这是个奇怪的教徒，奇怪的神父，奇怪的"耶稣"，他为每个异教徒服务，背起他们，负担着众人的忧患和悲哀，渡他们到永生。

不同人的罪恶与心酸都被恒河包容，河水流淌，日月流年，而渡人到深河中的大津——神的化身，同样浸泡在悲哀之中。

远藤周作临死前，要求亲人将《沉默》和《深河》这两本书放入灵柩内，和自己一起下葬。

这两本书是他信仰的裁缝吧，终于把他对抗了一生的不合适的西装，剪裁成了和服。

据说远藤周作在写作之前一定会看格雷厄姆·格林的作品，格雷厄姆·格林也认为远藤周作是极其优秀的日本作家。两个作家都是天主教徒，写宗教小说，可又与传统而典型的天主教做着默默的对抗，两人有着动人的惺惺相惜。

我在看《沉默》时，总会想起格雷厄姆·格林的小说《权力与荣耀》。我是几年前经阎连科老师的推荐看了这本小说，直到现在，我依然认为它是我读过的最伟大的作品之一。

《权力与荣耀》的背景是宗教迫害的墨西哥，几乎所有的牧师都被驱逐出境或者弃教，只有一个年老的牧师还在活动。这个牧师并不高尚，他酗酒、暴躁，还有一个私生女。警官——一个狂热的宗教反动者，誓要捉住牧师。

牧师深知自己身处险境，准备偷渡到安全的地方。临行前，他答应一个孩子,要为孩子临死的母亲做弥撒,因而失去了逃跑的机会。最后一个混血儿为了悬赏的 700 比索出卖了他,牧师被处决。

小说自始至终贯穿着警察与牧师的对抗,他们正是"权力"与"荣耀"的象征。

警察所代表的"权力"说:宗教不可能解救生活在苦难中的民众,但是警察所代表的政府却可以。"权力"要从孩子们的童年中消除一切他自己曾经经历过的苦难,消除一切贫穷、迷信和腐败的事物。而牧师代表的"荣耀",的确无法改变现实的苦难,却可以看到一个不一样的世界。

牧师被抓进牢房,在肮脏拥挤的黑暗角落里,一对犯人正在忘情地做爱。那对犯人给了牧师新的体悟:

"圣人们总说遭受磨难是美好的。对我们来说,遭受磨难是丑恶的:恶臭、拥挤和痛苦。对于角落的那两个人来说,那是美好的。需要学一学才能用圣人的眼光来观察事物。"

这就是"权力"与"荣耀"的区别,权力要清除一切恶臭和痛苦——当然,那是不可能的。

而荣耀,荣耀是要让恶臭的人有权恶臭,痛苦的人有权痛苦,弱小的人有权弱小,污秽的人有权污秽,懦弱的人有权懦弱。

《权力与荣耀》和《沉默》中,两个作者都创造了翻版的出卖耶稣的犹大，而让主角原谅了他们，依然为他们祈祷，聆听他们的忏悔。

《权力与荣耀》和《沉默》中，主角神父为之牺牲、受苦的人都如牛马一样愚钝麻木，安于苟且。但是两个小说里的教父竟异口同声发出同样的感慨：为美丽、良善的东西而死是很容易的，为悲惨、腐败的东西而死才是困难的。他们都选择了更为艰难的后者。

这就是荣耀战胜权力的地方，这就是为什么权力不断改换主人，而荣耀永远保持着不熄灭的一束火苗。

在《权力与荣耀》里，牧师被处死之后，又一个牧师踏上宗教迫害的土地，开始了秘密活动。

在现实生活中，1865 年，经历了漫长的锁国和禁教令的长崎重新开港，一群浦上村的农民叩开了教堂的门，他们指着圣母像说："我的心和你们是相同的。"

他们的宗教信仰虽然被隐藏埋没，他们的脚虽然踩上过圣像，但他们心里的光并没有真正消失过。

我并不是一个基督徒，也没有任何宗教信仰。我离基督教最近的一次，是去年年初从微博上得知任教华东师范大学的江绪林老师自杀。他的遗书最后两句是："上主啊，愿你开启希望之门。我恐惧，我要喝点白酒。"

我第一次发现软弱可以如此决绝，决绝可以如此软弱。

而去年一年，每每遇到世间荒诞无常的事，我总想起《旧约·诗篇》中的一句诗："我们经过的日子都在你的震怒之下／我们度尽的年岁好像一声叹息。"

——是无助吧，希冀一个更大的力量在目睹这世上发生的一切，即便他决计不施以援手，但他心中有数。

《沉默》和《权力与荣耀》两本书让我泪下，并不是因为其中的宗教力量，"信仰"这个词可以被替换成"信念"，这信念可以是对公平的追求、对自由的向往、对弱者的同情、对艺术的热爱。

要维持这些信念并不是口头上说的那么简单，而必须耗尽全身的力气，抵抗现实对自己的咀嚼。人往往面对现实的力量是软弱的，但就像远藤周作所说：人与神（对我来说，是高尚的信念）相遇，总会在人的一生中留下痕迹。

守护这痕迹，让它不被践踏和掩盖。这是软弱的人们所能做的底线。

在长崎，远藤周作的一句话刻在面朝大海的石碑上："主啊，人是这么的悲哀，海是这么的蓝。"

是啊，人是这么的悲哀。但幸好，海永远是这么的蓝。